Your Malvern Guide for GCSE

French

Vocabulary

Second edition

Val Levick

Glenise Radford

Alasdair McKeane

Titles available
from
Malvern Language Guides:

French	German	Spanish	Italian
Vocabulary Guide	Vocabulary Guide	Vocabulary Guide	Vocabulary Guide
Speaking Test Guide	Speaking Test Guide	Speaking Test Guide	Speaking Test Guide
Essential Verbs	Essential Verbs		
Grammar Guide	Grammar Guide	Grammar Guide	Grammar Guide
French Dictionary	German Dictionary		
Mon Echange Scolaire	Mein Austausch	Mi Intercambio Escolar	
Ma Visite En France			
Key Stage 3 Guide	Key Stage 3 Guide	Key Stage 3 Guide	
CE 13+ French			
Standard Grade French			
My Visit to Britain	My Visit to Britain		

(Order form inside the back of this book - photocopy and return)

CONTENTS

Please note the following points:

- * These verbs take **être** in the perfect and other compound tenses.

- *irreg* These verbs are *irreg*ular.

- In lists where **aller**, **être** and **faire** occur more than once only the first one is marked *irreg*.

- † These **–er** verbs are broadly regular, but have variations in some tenses.
  For further information refer to our publication 'Essential French Verbs'

- Nouns marked (m) are masculine, nouns marked (f) are feminine, nouns marked (m)(f) can be either masculine or feminine as appropriate

- Adjectives which never change are marked *inv*.

- Page references are made at the end of sections to indicate other words which might be useful to the topic.

- To avoid repetition, question words, prepositions, conjunctions, colours, adjectives, adverbs, common verbs, numbers, dates and times are in lists on pages 78 - 86.

- Opinions and justifications are on pages 76 – 78

MY WORLD

1A SELF, FAMILY AND FRIENDS

La famille et les amis
Family and friends

la femme	wife
la fille	daughter
le fils	son
le frère	brother
la maman	mummy
le mari	husband
la mère	mother
le papa	daddy
les parents (m)	parents, relatives
le père	father
la sœur	sister

le beau-fils	stepson
le beau-père	stepfather, father-in-law
le bébé	baby
la belle-fille	stepdaughter, daughter-in-law
la belle-mère	stepmother, mother-in-law
la compagne	partner
le compagnon	partner
le cousin, la cousine	cousin
le demi-frère	half brother
la demi-sœur	half sister
l'époux (m)	spouse
l'épouse (f)	spouse

le beau-frère	brother-in-law
la belle-sœur	sister-in-law
le gendre	son-in-law
la grand-mère	grandmother
le grand-père	grandfather
les grands-parents (m)	grandparents
le neveu	nephew
la nièce	niece
l'oncle (m)	uncle

la petite-fille	granddaughter
le petit-fils	grandson
les petits-enfants (m)	grandchildren
la tante	aunt
les jumeaux (m)	twins (boys, mixed)
les jumelles (f)	twins (girls)

l'ami (m), l'amie (f)	friend
le, la camarade	friend
le copain	friend (boy)
la copine	friend (girl)
la dame	lady
l'enfant (m)(f)	child
la femme	woman
la (jeune) fille	girl
le garçon	boy
le petit ami	boyfriend
la petite amie	girlfriend
le voisin, la voisine	neighbour
les gens (m)	people
l'homme (m)	man
le jeune homme	young man
le monsieur	gentleman

l'adolescent (m), l'adolescente (f)	teenager
l'adulte (m)(f)	adult
le, la célibataire	single man, woman
le correspondant	penfriend
la correspondante	penfriend
le divorcé	divorced man
la divorcée	divorced woman
l'étranger (m)	foreigner, stranger
l'étrangère (f)	foreigner, stranger
le fiancé, la fiancée	fiancé, fiancée
le, la gosse	kid (slang)
les parents (m)	relatives
le vieillard	old man

les gens du troisième âge (m)
...................................senior citizens
la jeune génération ....the younger generation
les jeunes mariés (m)....newly-weds
le retraité ....retired man
la retraitée....................retired woman
le veuf...........................widower
la veuve ....widow

l'enfance (f).................childhood
la jeunesse ....youth, young people
la vieillesse ....old age

Comment est-il/elle?   What is he/she like?
adoptif, adoptive...........adopted
âgé ....aged, elderly, old
aîné ....elder
cadet, cadette...............younger, youngest
célibataire ....single
divorcé..........................divorced
familial ....of the family
fiancé ....engaged
marié............................married
orphelin ....orphaned
séparé ....separated
unique...........................only
veuf, veuve ....widowed

anglican ....Anglican, CE
athée ....atheist
catholique ....Catholic
chrétien, chrétienne ......Christian
hindou...........................Hindu
juif, juive ....Jewish
musulman ....Muslim
protestant.....................Protestant
sans religion ....of no religion
sikh *inv* ....Sikh

Les animaux domestiques   Pets
la cage ....cage
le chat ....cat

le chaton......................kitten
la chatte.......................female cat
le cheval ....horse
le chien........................dog
la chienne ....female dog
le chiot ....puppy
le cochon d'Inde ....guinea pig
la gerbille ....gerbil
le hamster....................hamster
le lapin ....rabbit
l'oiseau (m).................bird
le perroquet ....parrot
la perruche ....budgerigar
le poisson rouge ....goldfish
la souris.......................mouse

dresser.........................to train
garder ....to keep, look after
siffler...........................to whistle

Les coordonnées   Personal details
Madame ....Mrs, Ms
Mademoiselle...............Miss
Monsieur......................Mr
l'adresse (f).................address
la carte d'identité ....identity card
le code postal ....postcode
la date de naissance......date of birth
le domicile ....place of residence
le lieu de naissance ......place of birth
la nationalité................nationality
né(e) le ....born on
le nom (de famille).......(sur)name
le numéro de télécopie . fax number
le numéro de téléphone phone number
le passeport ....passport
le pays natal ....native country
la pièce d'identité........proof of identity
le prénom ....first name
les rapports (m)............relationship
les relations (f).............relationship
le sexe ....sex, gender

la signature .... signature	
la taille .... height, size	
Ça s'écrit comment? .... How do you spell that?	
demeurer .... to live (reside)	
épeler † .... to spell	
habiter .... to live (reside)	

L'âge   **Age**

l'an (m), l'année (f) ..... year	
l'anniversaire (m) .... birthday	
la date .... date	
majeur .... adult, over 18	
mineur .... under 18	
le mois .... month	
la naissance .... birth	

Phrases

Je m'appelle David. J'ai seize ans. *My name is David. I am 16*

J'habite Londres. *I live in London*

Mon anniversaire est le dix-neuf mai *My birthday is May 19th*

Je suis né(e) en dix-neuf cent quatre-vingt-huit *I was born in 1988*

Je suis né(e) à York *I was born in York*

Je suis anglais(e)/écossais(e)/gallois(e)/irlandais(e)/britannique *I am English/Scottish/Welsh/ Irish/British*

J'ai un frère et deux sœurs *I have one brother and two sisters*

Mon père est maçon, ma mère est infirmière *My father is a builder, my mother is a nurse*

Mes parents sont divorcés *My parents are divorced*

Je m'entends bien avec mon frère *I get on well with my brother*

J'ai un chien; il est grand et brun *I have a dog; he is big and brown*

Comment est-il/elle?   **What is he/she like?**

la barbe .... beard	
les cheveux (m) .... hair	
la coiffure .... hairdo	
la frange .... fringe	
les lunettes (f) .... pair of glasses	
la moustache .... moustache	
le poids .... weight	
les yeux (m) .... eyes	
aveugle .... blind	
bronzé .... tanned	
costaud .... stocky, sturdy	
maigre .... thin	
mince .... slim	
pâle .... pale	
trapu .... stocky	

vilain .... ugly, nasty, bad	
blond .... blonde	
bouclé .... curly (wavy)	
châtain *inv* .... light brown, chestnut	
chauve .... bald	
épais .... thick (hair)	
frisé .... curly (frizzy)	
grisonnant .... greying	
raide .... straight (hair)	
roux .... red (hair)	
habillé de .... dressed in	
de race blanche .... white	
de race noire .... black	
de taille moyenne .... of average height	
Il/Elle pèse 70 kilos ..... He/She weighs 70 kilos	

Des professions   Professions

l'agent de police (m) ....policeman
l'ambulancier (m)........ambulance driver
l'assistant social (m).....social worker
l'assistante sociale (f)...social worker
le chirurgien ....surgeon
le, la dentiste ....dentist
le directeur, la directrice... headteacher
le docteur.....................doctor
le, la fonctionnaire........civil servant
l'homme politique (m) .politician
l'infirmier (m) ....nurse
l'infirmière (f) ....nurse
l'instituteur (m) ....primary teacher
l'institutrice (f) ....primary teacher
le médecin ....doctor
le policier.....................policeman
le (sapeur) pompier ......fireman
le professeur ....teacher (secondary)
le, la vétérinaire............vet

l'animateur (m) ....organiser, presenter
l'animatrice (f) ....organiser, presenter
l'architecte (m)(f)........architect
l'artiste (m)(f)..............artist
l'auteur (m) ....author
l'avocat (m) ....lawyer
le comptable ....accountant
le décorateur................decorator
le dessinateur...............designer
la dessinatrice..............designer
le directeur, la directrice... director
l'écrivain (m)...................writer
l'employé de bureau (m) .. office worker
l'employée de bureau (f) .. office worker
la femme au foyer ....housewife
la femme d'affaires ......business woman
le financier...................financier
l'homme d'affaires (m) .... businessman
l'informaticien (m).......computer scientist
l'informaticienne (f).....computer scientist
l'ingénieur (m) ....engineer

le, la journaliste............journalist
le, la météorologiste..... meteorologist
le musicien ....musician
la musicienne ....musician
le programmeur............programmer
la programmeuse..........programmer
le, la scientifique..........scientist
le sculpteur..................sculptor
le technicien ....technician
la technicienne ....technician
le traducteur ....translator

l'agent de voyages (m)..... travel agent
l'agent immobilier (m)..... estate agent
le boucher, la bouchère .... butcher
le boulanger, la boulangère ....baker
le caissier, la caissière.. till operator, cashier
le charcutier, la charcutière ....pork butcher
le coiffeur, la coiffeuse .... hairdresser
le commerçant..............shopkeeper
la commerçante............shopkeeper
le confiseur..................confectioner
l'épicier (m) ....grocer
le, la fleuriste ....florist
le garagiste ....garage owner
l'hôtelier (m), l'hôtelière (f) ..hotelier
le, la libraire ....bookseller
le marchand de fruits ... fruitseller
le marchand de journaux.. newsagent
le marchand de légumes .. greengrocer
le papetier....................stationer
le pâtissier ....confectioner
le pharmacien..............chemist
la pharmacienne..........chemist
le, la photographe.........photographer
le poissonier ....fishmonger
le quincailleur ....ironmonger
le vendeur, la vendeuse sales assistant

l'agriculteur (m)...........farmer
l'artisan (m) ....craftsman
le camionneur..............lorry driver

4

le chanteur, la chanteuse ..	singer
le charpentier...............	carpenter
le chauffeur d'autobus......	bus driver
le chauffeur de taxi.......	taxi driver
le chef...........................	chef; boss
le, la concierge	caretaker
le cuisinier, la cuisinière ..	cook
la dactylo.....................	typist
l'électricien (m)............	electrician
le facteur, la factrice.....	postman, postwoman
la femme de ménage	domestic cleaner
le fermier, la fermière ..	farmer
le garçon de café	waiter

le gendarme.................	policemen
l'hôtesse de l'air (f)......	flight attendant
le jardinier	gardener
le maçon......................	builder
le marin/le matelot	sailor
le mécanicien	mechanic
la mère au foyer	housewife
le mineur	miner
le moniteur, la monitrice ..	instructor
l'ouvrier (m), l'ouvrière (f)..	worker
le pêcheur....................	fisherman
le pilote.......................	pilot
le plombier	plumber
le, la secrétaire	secretary
le serveur, la serveuse ..	waiter, waitress
le soldat	soldier

Le lieu de travail   The workplace

le bureau	office
l'école (f)	school
l'entreprise (f).............	firm
à l'extérieur.................	outdoors
l'hôpital (m)................	hospital
à l'intérieur	indoors
le laboratoire...............	laboratory
le magasin...................	shop
l'usine (f)	factory
le comité	committee
la commande...............	order

Les salutations   Greetings

Salut............................	Hi
Allô	Hello (phone)
Entrez..........................	Come in
Asseyez-vous...............	Sit down
A bientôt	See you soon
A demain	See you tomorrow
A tout à l'heure............	See you later
Au revoir.....................	Goodbye
Bon courage................	Good luck
Bon séjour...................	Enjoy your stay
Bon voyage.................	Have a good journey
Bon week-end..............	Have a good weekend
Bonne nuit	Good night
s'il vous plaît	please
merci	thank you

faire la connaissance de ....to meet s.o.

Phrases

Bonjour Monsieur, Madame   *Good morning/Good afternoon*

Bonsoir Mademoiselle   *Good evening*

Soyez le bienvenu/Vous êtes la bienvenue   *Welcome*

Je te/vous présente Jean   *May I introduce Jean?*   Enchanté(e)   *Pleased to meet you*

Comment ça va?/Ça va?   *How are you?*

Ça va très bien, merci   *Very well, thank you*   Comme ci, comme ça   *So-so*

On rend visite à quelqu'un
Being a guest

le correspondant ....penfriend
la correspondante ....penfriend

l'hospitalité (f)..............hospitality
l'hôte (m).....................host
l'hôtesse (f) ....hostess
l'invité (m) ....guest
l'invitée (f) ....guest

la brosse à dents ....toothbrush
le cadeau......................present
la couverture................blanket
le dentifrice ....toothpaste
le savon ....soap
le shampooing ....shampoo
la valise ....suitcase

accueillant ....welcoming
âgé ....aged, elderly
aîné ....elder
bienvenu......................welcome
cadet ....younger, youngest

anglais..........................English
britannique ....British
écossais ....Scottish
français.........................French
gallois...........................Welsh
irlandais........................Irish
de la part de..................from (person)

accueillir *irreg* ....to welcome
avoir besoin de *irreg*....to need
donner un coup de main à
..............................to help
faire la bise *irreg*..........to kiss (greeting)
offrir à *irreg* ....to give (present)
parler anglais...............to speak English
parler français ....to speak French
partager † ....to share
prêter...........................to lend
remercier.....................to thank
revoir *irreg*..................to see again
se trouver* ....to be situated
sourire *irreg* ....to smile

For **opinions** see page 76

Phrases

Merci de tout *Thank you for everything*

J'ai passé des vacances merveilleuses *I've had a wonderful holiday*

Vous avez/Tu as été si gentil *You have been so kind*

Remercie tes parents de ma part, s'il te plaît *Say thank you to your parents for me, please*

J'aimerais bien revenir vous/te voir *I'd love to come and see you again*

Ecrivez bientôt/Ecris bientôt *Write soon!*

1B   INTERESTS AND HOBBIES

Les sports   Sport

l'ambiance (f)............... atmosphere
la distraction................ entertainment
les loisirs (m)............... free time
le passe-temps .... hobby, pastime
le spectacle .... entertainment
le temps libre............... free time
les vacances (f)............. holidays
le week-end .... weekend

l'adhérent (m)............... member (club, etc)
l'arbitre (m).................. referee
le champion.................. champion
la championne.............. champion
l'amateur (m) .... fan, amateur
l'équipe (f) .... team
le gardien de but........... goalkeeper
le joueur .... player

le club de tennis/football.. tennis/football club
le complex sportif .... sports centre
le terrain .... ground, pitch, court

le but............................ goal
le championnat .... championship, contest
la compétition............... competition
le concours .... competition
la cotisation .... membership fee
le coup de pied .... kick
l'étape (f)...................... stage (race)
le jeu............................ game
le match........................ match
le match nul.................. draw
la partie de … .... game of …
le tournoi .... tournament

Quel sport aimez-vous?
Which sport do you like?

l'athlétisme (m)............. athletics
le basket .... basketball

le cricket .... cricket
le foot/football .... football
la gymnastique............. gymnastics
le hockey...................... hockey
la natation .... swimming
le netball .... netball
le rugby........................ rugby
le tennis........................ tennis
le volley .... volleyball

les arts martiaux (m).... martial arts
le bowling .... bowling
la boxe .... boxing
le cyclisme .... cycling
l'équitation (f).............. horse riding
l'escalade (f) .... rock climbing
les fléchettes (f) .... darts
le golf.......................... golf
le jogging .... jogging
le judo .... judo
le patinage................... ice skating
le patinage à roulettes .. roller skating
la pêche........................ fishing
le ping-pong................. table tennis
le ski............................ ski-ing
le snooker.................... snooker
les sports d'hiver (m).......... winter sports
les sports nautiques (m)...... water sports
le tennis de table .... table tennis
la voile .... sailing

Le matériel sportif   Sports equipment

la balle .... ball (small)
le ballon .... football
les baskets (f).............. trainers
la canne à pêche........... fishing rod
les chaussures de sport (f)... trainers
la crosse de hockey...... hockey stick
l'équipement (m) .... equipment, kit
le maillot de bain .... swimsuit

le matériel.....................equipment, kit
les patins (m) à roulettes .. roller skates
la pédale ....pedal
la planche à roulettes....skateboard
la planche à voile.........sailboard
la planche de surf ....surfboard
la raquette ....tennis racquet
les skis (m) ....skis
le VTT ....mountain bike

C'est comment?   What is it like?

comique ....funny
energique ....energetic
fanatique......................keen on
fatigant ....tiring
impressionnant ....impressive
interdit ....not allowed
logique.........................logical
merveilleux..................marvellous
pas mal ....not bad
passionnant...................exciting
populaire......................popular
réduit ....small scale, reduced
réel...............................real
robuste ....tough
sportif ....sporty, keen on sport

Que faites-vous?   What do you do?

jouer au football ....to play football
jouer au tennis ....to play tennis
jouer aux boules ....to play boules

faire de la natation *irreg*... to swim
faire de la planche à roulettes
.................................to skateboard
faire de la planche à voile to windsurf
faire de la voile.............to go sailing
faire de l'alpinisme.......to go mountaineering
faire de l'équitation ......to go horse riding
faire du cyclisme ....to cycle
faire du patin à roulettes... to roller-skate
faire du patin ....to skate

faire du ski ....to ski
faire du vélo ....to cycle
faire partie de ....to be part of
faire une partie de tennis
.............................to play a game of tennis
faire une promenade ...... to go for a walk
faire une randonnée
.............................to hike, go for a long walk

aller* à la pêche *irreg* .. to go fishing
annuler ....to cancel
attraper ....to catch (fish, etc)
défendre ....to defend
équiper ....to equip
s'inscrire* ....to enrol,
                    put one's name down
jeter † ....to throw
lancer †.........................to throw
marquer un but.............to score a goal
monter* à cheval..........to ride
participer ....to participate
se passionner* de ....to be keen on
patiner ....to skate
pêcher...........................to fish
pratiquer un sport.........to do a sport
risquer ....to risk, be likely to
salir ....to make dirty
sauter............................to jump, leap

On va en ville   Going into town

à bicyclette ....on a bicycle
à pied............................on foot
à vélo............................on a bike
en autobus ....by bus
en métro ....on the tube, underground
en taxi...........................by taxi
en train ....by train
en tramway...................by tram
en voiture ....by car

l'arrêt d'autobus (m) .... bus stop
le bureau de renseignements
.... information office
la gare .... station
la gare routière .... coach station
le guichet .... ticket office
la station de métro .... tube station

l'aller-retour (m) .... return ticket
le billet simple .... single ticket
la correspondance .... connection
l'heure d'affluence (f) .. rush hour
l'horaire (m) .... timetable
la ligne .... bus/tram route

deuxième .... second
direct .... direct, through
obligatoire .... compulsory
premier .... first
valable .... valid

Où allez-vous?   **Where do you go?**
le bal .... ball, dance
la boîte .... disco, night club
la boum .... party (celebration)
le club de jeunes .... youth club
la discothèque .... disco
la maison des jeunes .... youth club
la soirée .... evening, party

le bowling .... bowling alley
le centre sportif .... sports centre
la patinoire .... ice rink
la piscine .... swimming pool
le stade .... stadium
le terrain de sport .... sports ground

le cinéma .... cinema
le club .... club
le concert .... concert
l'excursion (f) .... outing
la galerie .... gallery

le jeu d'arcade .... arcade game
la réunion .... meeting
la salle .... room, hall
la société .... society
le théâtre .... theatre
la visite guidée .... guided tour
le zoo .... zoo

faire des courses *irreg* . to do the shopping
faire du lèche-vitrines .. to go window shopping
faire la queue .... to queue
faire les magasins .... to go round the shops

aller* à l'église *irreg* ... to go to church
aller* à la messe .... to go to mass
aller* à la mosquée ...... to go to the mosque
aller* à la synagogue ... to go to synagogue
aller* en ville .... to go to town
aller* voir .... to go and see

composter le billet .... to date stamp ticket
courir *irreg* .... to run
se diriger* † vers .... to go towards
emmener † .... to take s.o
prendre des photos *irreg* ...to take photos
quitter la maison .... to leave the house
rejoindre .... to join
réserver une place .... to book a seat
retourner* .... to return, go back
valider .... to stamp, validate
visiter un château .... to look round a castle

For **transport** see page 26
For **times** see page 85

La musique   Music

le baladeur .... personal stereo
la cassette.................... cassette
le CD, disque compact......CD, compact disc
la hi-fi .... hi-fi

la batterie......................drum kit
la clarinette...................clarinet
le clavier (électronique) ... keyboard
la flûte ....flute
la flûte à bec ....recorder
la guitare......................guitar
l'instrument (m) ....instrument
le piano ....piano
le trombone ....trombone
la trompette ....trumpet
le violon........................violin

la chanson.....................song
la chorale ....choir
le genre ....type, sort
le groupe ....group
la musique classique.....classical music
la musique pop/rock .....pop/rock music
l'orchestre (m)..............orchestra, band
le tube ....hit

chanter dans la chorale .to sing in the choir
jouer de la batterie........to play the drums
jouer de la clarinette.....to play the clarinet
jouer de la flûte ....to play the flute
jouer de la guitare.........to play the guitar
jouer du piano...............to play the piano
jouer du violon ....to play the violin

On reste à la maison
Staying at home

l'appareil-photo (m) .....camera
les cartes (f)..................cards
la collection ....collection
la couture......................sewing
la cuisine ....cooking
le dessin.......................drawing
les échecs (m)..............chess
l'illustré (m) ....glossy magazine
le jeu de cartes..............card game
le jeu de dames.............draughts
le jeu de société ....board game

la lecture......................reading
le magazine ....magazine
le modélisme...............model-making
les mots croisés (m) ..... crosswords
la musique...................music
la peinture ....painting
la pellicule...................film (photography)
la photographie ....photography
le poster.......................poster
la revue........................magazine
le roman ....novel
le roman de science-fiction.. sci-fi story
le roman policier ....detective story
le vidéo........................video

amuser..........................to amuse
attacher........................to fasten, attach
attirer............................to attract
bricoler.........................to do DIY
collectionner ....to collect
coudre *irreg* ....to sew
faire de la peinture *irreg* .. to paint
faire des modèles réduits . to make models
faire du théâtre ....to do drama
jouer aux cartes............to play cards
mêler ....to mix, shuffle cards
peindre *irreg* ....to paint
réjouir...........................to delight
se reposer* ....to rest
soutenir *irreg* ....to support
tirer...............................to pull
tourner un film ....to make a film
tricoter.........................to knit

L'informatique   ICT

la base de données ....data-base
le catalogue ....disk manager
le cédérom...................CD ROM
le clavier......................keyboard
le curseur....................cursor
le disque dur.................hard disk
la disquette ....disk

l'écran (m).....................screen
un email/mel (m)..........e-mail
l'imprimante (f)............printer
l'internet (m).................internet
le jeu électronique........computer game
le jeu vidéo...................video game
le lecteur de disquettes.....disk drive
le logiciel......................computer software
la manette de jeux ....joystick
le menu.........................menu
le moniteur ....monitor
la musique électronique ...computer music
l'ordinateur (m)............computer
l'outil (m).....................tool
la puce ....chip
le site-web ....web site

la souris........................mouse
le traitement de texte ... word processing
électrique ....electric
électronique ....electronic
technologique ....technological

charger †......................to load
éditer...........................to edit
formater ....to format
imprimer ....to print
sauver...........................to save

For **Saturday jobs** see page 54
For **'when, where, with whom'** see page 31
For **opinions** see page 76

1C   HOME AND LOCAL ENVIRONMENT

L'adresse (f)   Address

le code postal...............postcode
le domicile...................place of residence
la messagerie électronique ... e-mail
le numéro.....................number
le numéro de fax...........fax number
le numéro de téléphone .....phone number

l'allée (f).......................lane, avenue
l'avenue (f)...................avenue
le boulevard.................boulevard, wide road
le centre ....centre
le chemin ....lane, path
l'impasse (f) ....cul de sac
le passage ....passage, alley
la place ....square
le pont...........................bridge
le quai ....embankment, quay
la route..........................main road
la rue.............................street, road

impair ....odd (numbers)
pair ....even (numbers)

La location   Situation

la banlieue ....suburbs
la campagne.................country (not town)
le département ....department (county)
la mer...........................sea

le pays ....country (state)
le quartier....................district of town, city
le village......................village
la ville ....town

à l'est (m).....................in the east
à l'ouest (m).................in the west
au nord ....in the north
au sud..........................in the south

Le logement   Housing

l'appartement (m) .... flat
le bâtiment .... building
la ferme .... farm
l'HLM (f) .... council/housing
                                          association flat
l'immeuble (m) .... block of flats
la maison..................... house
la maison mitoyenne .... semi-detached house
le pavillon .... detached house, villa
le studio....................... bedsit, studio

le déménagement .... house move
l'habitant .... inhabitant
le, la locataire.............. tenant
le propriétaire.............. owner
les riverains (m)........... residents
le loyer .... rent

Phrases

Où habites-tu? *Where do you live?* J'habite Malvern *I live in Malvern*

J'habite au premier étage *I live on the first floor*

Quelles pièces y-a-t-il chez vous? *What rooms are there in your house?*

Il y a trois chambres, une cuisine, une salle à manger, un salon, et une salle de bains.
    There are three bedrooms, a kitchen, a dining room, a living room and a bathroom

---

Les généralités   General

l'accueil (m) ....reception
l'ascenseur (m).............lift

le couloir .... corridor
l'entrée (f) .... entrance
l'escalier (m)............... staircase

l'étage (m) .... floor, storey
le palier .... landing
le plan .... plan
la porte d'entrée .... front door
le premier étage .... first floor, upstairs
le rez-de-chaussée .... ground floor
en bas .... downstairs
en haut .... upstairs

Les pièces (f)　　　Rooms

la buanderie .... utility room
le bureau .... study
la cave .... cellar
la chambre .... bedroom
la cuisine .... kitchen
le garage .... garage
le grenier .... attic, loft
la salle à manger .... dining room
la salle de bains .... bathroom
la salle de jeux .... playroom
la salle de séjour .... living room, lounge
le salon/séjour .... lounge, sitting room
le sous-sol .... basement
les toilettes (f) .... toilet
la véranda .... conservatory
le vestibule .... hall
les WC (m) .... toilet

La chambre (à coucher)　　　Bedroom

l'armoire (f) .... wardrobe
le baladeur .... personal stereo
la brosse .... brush
la chaise .... chair
la commode .... chest of drawers
l'étagère (f) .... shelf
la glace .... mirror
la lampe .... lamp
le lit .... bed
le livre .... book
la moquette .... fitted carpet
le peigne .... comb
le poster .... poster
le rideau .... curtain
le tapis .... rug, carpet (not fitted)
le tiroir .... drawer
particulier .... private, own

la cassette .... cassette
le CD .... compact disc
la chaîne compacte ...... stereo system
le jeu-vidéo .... video game
les jouets (m) .... toys
l'ordinateur (m) .... computer
le radio-réveil .... radio clock
le sèche-cheveux .... hairdryer
le téléviseur .... television set

Phrases

Est-ce que tu partages ta chambre? *Do you share a room?*

Non, j'ai une chambre pour moi *No, I have my own room*

Oui, je partage avec mon frère/ma sœur *Yes, I share with my brother/sister*

Qu'est-ce qu'il y a dans ta chambre? *What is there in your bedroom?*

Il y a un lit, un canapé, une table, une chaise, une étagère, et une armoire.
　There is a bed, a sofa, a table, a chair, shelves and a cupboard

La cuisine　　　Kitchen

le congélateur .... freezer
la cuisinière à gaz .... gas cooker
la cuisinière électrique . electric cooker
le four à micro-ondes ... microwave

le frigo .... fridge
le lave-linge .... washing machine
le lave-vaisselle .... dishwasher
le refrigerateur .... fridge

l'aspirateur (m)............vacuum cleaner
l'essoreuse (f)..............spin dryer
l'évier (m) ....sink
le fer à repasser ....iron
le four ....oven
le grille-pain ....toaster
la machine ....machine
le micro-ondes (m) ....microwave (oven)
le placard ....cupboard
le sèche-linge................tumble dryer
congeler † ....to freeze

les allumettes (f)...........matches
la bouilloire ....kettle
la casserole ....saucepan
la cocotte ....casserole
le décapsuleur...............bottle opener
la lessive ....washing powder
la machine à laver ....washing machine
la marmite ....cooking pot
l'ouvre-boîte (m)..........can opener
l'ouvre-bouteille (m) ....bottle opener
la planche à repasser ....ironing board
le plateau ....tray
la poêle ....frying pan
la poubelle ....rubbish bin
le téléphone ....telephone
le torchon......................tea towel

La salle à manger   Dining room
la bougie ....candle
le buffet ....sideboard
la chaise ....chair
la nappe ....tablecloth
la table ....table
le tableau ....picture

La salle de séjour   Living room
Le salon   Lounge
la bibliothèque..............book-case
le canapé.......................sofa, settee
le cendrier.....................ashtray

la chaîne hi-fi ....stereo system
la cheminée ....fireplace, chimney
le coussin ....cushion
le fauteuil ....armchair
le feu ....fire
le magnétophone..........cassette recorder
le magnétoscope ....video recorder
la moquette...................fitted carpet
la pendule.....................clock
la photo ....photo
le piano.........................piano
la platine-laser..............CD player
le lecteur de DVD ....DVD player
la table basse ....coffee table
le téléviseur..................TV set
le vase ....flower vase

La salle de bains   Bathroom
la baignoire ....bath (tub)
le bain...........................bath (activity)
le bidet ....bidet
la brosse à dents ....toothbrush
le dentifrice ....toothpaste
le déodorant ....deodorant
la douche......................shower
le drap de bain..............bath towel
l'eau chaude (f)............hot water
l'eau froide (f)..............cold water
l'éponge (f) ....sponge
le gant de toilette..........flannel
le lavabo.......................wash basin
le miroir ....mirror
le papier hygiénique.....toilet paper
la prise-rasoir ....electric razor socket
le rasoir ....razor
le robinet ....tap
le savon ....soap
la serviette....................towel
le shampooing..............shampoo

For **helping at home** see page 48
For **daily routine** see page 19

Généralités	General
le balcon	balcony
le contenu	contents
le décor	decor
la fenêtre	window
la grille	gate
le mètre carré	square metre
les meubles (m)	furniture
le mur	wall
le papier peint	wallpaper
la peinture	paint, painting
le plafond	ceiling
le plancher	floor
la poignée	door handle
la porte (d'entrée)	(front) door
la serrure	lock
la sonnette	doorbell
le toit	roof
le verre	glass
le volet	shutter

l'ampoule électrique (f)	light bulb
le bouton	switch
le chauffage central	central heating
la corde	flex
le courant	current
l'eau (f)	water
l'électricité (f)	electricity
le gaz	gas
l'interrupteur (m)	switch
la lumière	light
la prise de courant	plug
le radiateur	radiator

Le garage	Garage
l'auto (f)	car
la moto	motorbike
les outils (m)	tools
la tondeuse (à gazon)	lawnmower
le vélo	bike
la voiture	car

Le jardin	Garden
l'arbre (fruitier) (m)	(fruit) tree
le buisson	bush, shrub
la fleur	flower
le fruit	fruit
le gazon	lawn
la haie	hedge
l'herbe (f)	grass
le jardin potager	vegetable garden
le légume	vegetable
la pelouse	lawn
la plante	plant
la plate-bande	flower bed
le pommier	apple tree
la remise	shed
la serre	greenhouse
la terrasse	patio, terrace

C'est comment?	What is it like?
aménagé	fitted, converted
bizarre	odd, strange
chic	smart
commode	easy, convenient
confortable	comfortable
de luxe	luxurious
élégant	elegant
essentiel	essential
étroit	narrow
industriel	industrial
ménager	domestic, of the home
meublé	furnished
muni de	equipped with
parfait	perfect
pratique	practical
privé	private
touristique	tourist
typique	typical
vide	empty

de grand standing	posh
en bon état	in good condition
en mauvais état	in poor condition

C'est où? — Where is it?

au premier étage .... on the first floor
au rez-de-chaussée .... on the ground floor
derrière la maison .... behind the house
devant la maison .... in front of the house
donne sur la rue .... overlooks the street
donne sur le jardin .... overlooks the garden
en bas .... downstairs
en haut .... upstairs
par ici .... this way
par là .... that way

La géographie — Geography

la caverne .... cave
le climat .... climate
la distance .... distance
l'île (f) .... island
le lac .... lake
la montagne .... mountain
le pays .... country
la province .... province
la région .... region
la rivière .... river
le ruisseau .... stream
la vallée .... valley

l'agriculture (f) .... agriculture
la banlieue .... suburbs, outskirts
le bruit .... noise
la capitale .... capital
l'environnement (m) .... environment
l'espace (m) .... space
l'industrie (f) .... industry
la municipalité .... town
le silence .... silence
le village .... village
la ville .... town
la vue .... view

Les gens — People

l'agent de police (m) .... policeman
l'automobiliste (m)(f) ... motorist
le cycliste .... cyclist

la foule .... crowd
les habitants (m) .... inhabitants
le maire .... mayor
le paysan .... countryman, farmer
le piéton .... pedestrian

En ville — In town

Les bâtiments — Buildings

la banque .... bank
la bibliothèque .... library
le bureau .... office
le cinéma .... cinema
le club de jeunes .... youth club
le collège .... secondary school
l'école (f) .... primary school
l'église (f) .... church
la gare .... station
la gendarmerie .... police station
l'hôpital (m) .... hospital
l'hôtel de ville (m) .... town hall
le magasin .... shop
le marché .... market
le parking .... car park
la piscine .... swimming pool
la poste .... post office
la station-service .... petrol station
l'usine (f) .... factory

le camping .... campsite
la cathédrale .... cathedral
le château .... castle
l'hôtel (m) .... hotel
le musée .... museum
l'office de tourisme (m) ... tourist office
le stade .... stadium
le syndicat d'initiative .. tourist office
le théâtre .... theatre

la cabine téléphonique . phone box
le centre commercial .... shopping centre
le centre omnisports ..... sports centre
le centre-ville .... town centre

16

la clinique.....................clinic, hospital
le commissariat de police.....police station
la fabrique ....factory
le gratte-ciel *inv*............skyscraper
l'immeuble (m) ....block of flats
l'immeuble tour (m).....tower block
le kiosque ....newspaper stand
la mairie ....town hall
le poste de police..........police station

l'aéroport (m)...............airport
l'agence de voyages (f).....travel agency
l'auberge de jeunesse (f)...youth hostel
la gare routière.............coach station
le jardin des plantes ..... park
le palais.......................palace
le parc ....park
la patinoire ....ice rink

Phrases

J'habite Malvern depuis dix ans *I have lived in Malvern for ten years*

Malvern est une petite ville près de Worcester *Malvern is a small town near Worcester*

Qu'est-ce qu'il y a à voir à Malvern? *What is there to see in Malvern?*

Il y a les collines, un petit musée, un jardin public et une grande église
  There are the hills, a little museum, a park and a big church

On peut aller au théâtre, au cinéma ou à la piscine
  You can go to the theatre, the cinema or the swimming pool

On peut faire des randonnées sur les collines *You can go for walks on the hills*

Des points de repère Landmarks

l'arrêt d'autobus (m) ....bus stop
l'autoroute (f)..............motorway
l'avenue (f)..................avenue
la boîte aux lettres........letter box
le boulevard.................wide street (with trees)
le bout de la rue............end of the road
le carrefour..................crossroads
le métro ....underground
le milieu ....surrounding area
le passage à niveau.......level crossing
le passage piéton ....pedestrian crossing
le (passage) souterrain . subway
la place ....square
le pont..........................bridge
le rond-point................roundabout

le chantier....................roadworks
la circulation................traffic
le coin...........................corner
le drapeau....................flag
les feux (m) ....(traffic) lights

l'horloge (f) ....clock (large public)
le port...........................port
la rue piétonne ....pedestrian precinct
la tour...........................tower
le trottoir ....pavement
la zone piétonne...........pedestrian precinct

la flèche ....church spire
les graffiti (m)..............graffiti
le panneau...................road sign, board
le périphérique ....ring road
le quartier....................district, area
la rocade......................bypass

Au jardin public In the park

le banc..........................bench
le bassin ....basin, pool (park)
la fleur..........................flower
la fontaine ....fountain
le jet d'eau ....fountain
le monument ....monument
la sculpture..................sculpture

A la campagne   In the country

l'arbre (m)	tree
le bois	wood
le bord	edge, river bank
la branche	branch
le champ	field
la colline	hill
la forêt	forest
l'herbe (f)	grass
la nature	nature
le paysage	countryside
la pierre	stone
la résidence secondaire	second/holiday home
la rivière	river
le rocher	rock (stone)
le sentier	footpath
chasser	to chase, hunt

A la ferme   On the farm

le canard	duck
le cochon	pig
l'écurie (f)	stable
la maison de ferme	farmhouse
le mouton	sheep
la poule	hen
le tracteur	tractor
la vache	cow
la vendange/les vendanges	grape harvest

le vignoble	vineyard
le viticulteur	vine cultivator

C'est comment?   What is it like?

agricole	agricultural
animé	lively
antique	ancient
dangereux	dangerous
entouré de	surrounded by …
historique	historic
large	wide
local	local
naturel	natural
plusieurs	several
pollué	polluted
principal	principal, main
proche	near
publique	public
sauvage	wild
voisin	nearby, neighbouring

For **weather** see page 32
For **prepositions** see page 79

Des verbes utiles   Useful verbs

aller* jusqu'à *irreg*	to go as far as
apercevoir *irreg*	to see, make out
continuer	to carry on
fabriquer	to manufacture
passer* devant	to go past

Phrases – Where I live

Avantages: *Advantages*:

Il y a beaucoup de choses à faire: il y a des cinémas et beaucoup de magasins en centre-ville
There's lots to do: there are cinemas and lots of shops in the town centre

Il y a des autobus toutes les dix minutes *Buses run every ten minutes*

Il y a une piscine et un grand centre sportif *There is a swimming pool and a big sports centre*

Inconvénients: *Disadvantages*:

Il n'y a rien à faire pour les adolescents *There is nothing for teenagers to do*

Il y a très peu de magasins et le cinéma est moche *There are very few shops and the cinema is awful*

Il n'y a ni autobus, ni centre sportif *There are no buses and there isn't a sports centre*

C'est ennuyeux *It's boring*

1D   DAILY ROUTINE

aller* en ville................to go to town	se raser*.......................to shave
s'allonger †...................to lie down	se réveiller* ....to wake up
arriver* au collège........to arrive at school	rêver............................to dream
se brosser* les cheveux.......to brush one's hair	sécher les cheveux†..... to dry one's hair
se coucher* ....to lie down, go to bed	
déjeuner........................to have lunch	le pain grillé................ toast
se déshabiller*..............to get undressed	le rêve ....dream
dîner ....to have evening meal	le réveil ....alarm clock
se doucher* ....to shower	pressé ....hurried
s'endormir* *irreg*.........to fall asleep	

L'uniforme scolaire   School uniform

enlever †.......................to remove	les chaussettes (f).........socks
faire du sport *irreg* ....to do sport	les chaussures (f) ....shoes
faire la grasse matinée..to have a lie in	la chemise ....shirt
faire la vaisselle *irreg* ..to wash up	le chemisier.................blouse
faire ses devoirs *irreg* ..to do homework	le collant ....tights
s'habiller* ....to get dressed	la cravate.....................tie
se laver* les dents ....to clean one's teeth	le gilet ....cardigan, waistcoat
se lever* † ....to get up	la jupe ....skirt
mettre *irreg* ....to put on clothes	le pantalon ....trousers
ôter ....to take off (clothes)	le pull...........................pullover
se peigner* ....to comb one's hair	le pullover....................pullover
se précipiter*................to rush, hurry	la robe ....dress
prendre le petit déjeuner *irreg*	la veste, le veston.........blazer
...............................to have breakfast	
se presser*...................to hurry	For **food** see page 50
quitter la maison...........to leave the house	For **going into town** see page 8
ranger † la chambre......to tidy the bedroom	

Phrases

Je me réveille à sept heures *I wake up at 7 o'clock*

Je me lève, je me lave, je me douche, je me rase, je m'habille
I get up, wash, shower, shave, get dressed

Je me lave les dents, je me brosse les cheveux *I clean my teeth, I brush my hair*

Je prends le petit déjeuner *I have breakfast*

Je quitte la maison à huit heures et quart et j'arrive au collège à neuf heures moins le quart
I leave the house at 8.15 and arrive at school at 8.45

Je déjeune au collège *I have lunch at school*

Je rentre à quatre heures et demie et je fais mes devoirs *I get home at 4.30 and do my homework*

Je me couche à dix heures et demie *I go to bed at 10.30*

1E   SCHOOL AND FUTURE PLANS

La scolarisation   School attendance

l'école maternelle (f)....nursery school
l'école primaire (f) ....primary school
l'école primaire privée (f) prep school
le CES ....secondary school
le collège (d'enseignement secondaire)
................................secondary school
le collège privé ....public school
l'internat (m) ....boarding school
l'école (publique) (f) ....(state)school
le lycée ....sixth form college
la fac ....university

le cours préparatoire .... reception class
CE1 (cours élémentaire) .. year 1
CE2 (cours élémentaire) .. year 2
CM1 (cours moyen)......... year 3 and 4
CM2 (cours moyen)......... year 5 and 6
être en sixième .... to be in Year 7
être en cinquième............ to be in Year 8
être en quatrième............. to be in Year 9
être en troisième.............. to be in Year 10
être en seconde................. to be in Year 11
être en première .... to be in Year 12
être en terminale .... to be in Year 13

Phrases

Combien d'élèves y a-t-il dans ton collège? *How many pupils are there in your school?*

Il y a mille élèves dans le collège *There are 1,000 pupils in the school*

Combien d'élèves y a-t-il dans ta classe? *How many pupils are there in your class?*

Il y a vingt-sept élèves dans ma classe *There are 27 pupils in my class*

Où se trouve le collège? *Where is your school?*

En centre-ville/en banlieue *In the town centre/in the suburbs*

Il y a cinq salles d'informatique et un grand terrain de sport
There are 5 ICT rooms and a big sports field

Les gens   People

le, la camarade de classe .. classmate
le collégien ....secondary pupil
la collégienne ....secondary pupil
le copain ....(school) friend
la copine ....(school) friend
le, la demi-pensionnaire ... day-boy/girl
l'écolier(m), l'écolière(f).. school boy, girl
l'élève (m)(f) ....pupil
l'externe (m)(f).............day pupil
l'interne (m)(f) ....boarder
le lycéen, la lycéenne ...pupil at a lycée
le, la partenaire.............partner
le pensionnaire ....boarder

le, la concierge ....caretaker
le conseiller d'orientation... careers officer

le directeur .... primary headmaster
la directrice .... primary headmistress
l'enseignant (m)........... teacher
le gardien .... caretaker
l'infirmière (f).............. nurse
l'inspecteur (m)........... inspector
l'instituteur (m)........... primary teacher
l'institutrice (f)............. primary teacher
l'intendant (m) .... bursar
le maître .... primary teacher
la maîtresse .... primary teacher
le principal, la principale . head (collège)
le, la prof..................... teacher
le professeur................. teacher
le proviseur .... head (lycée)
le, la secrétaire .... secretary
la surveillante.............. student supervisor

20

Le groupe scolaire	The school complex
l'atelier (m)	workshop, studio
la bibliothèque	library
le bureau	office
la cantine	canteen
le CDI	resources centre
le couloir	corridor
la cour	playground
le dortoir	dormitory
l'établissement (m)	establishment
le foyer des élèves	pupils' common room
le gymnase	gym
l'infirmerie (f)	sick bay
le labo(ratoire)	lab(oratory)
la piscine	swimming pool
le préau	covered play area
la salle (grande)	hall
la salle de classe	classroom
la salle de permanence	private study room
la salle des professeurs	staffroom
le terrain de football	football pitch
les vestiaires (m)	changing rooms

Les matières	School subjects
l'allemand (m)	German
l'anglais (m)	English
l'art dramatique (m)	drama
la biologie	biology
la chimie	chemistry
les cours sur les médias (f)	media studies
la couture	needlework
la cuisine	cookery
le dessin	drawing
l'économie domestique (f)	home economics
EPS (f)	PE
EMT (f)	CDT
l'espagnol (m)	Spanish
les études(f)	studies
les études de commerce (f)	business studies
le français	French
la géo(graphie)	geography
la gym(nastique)	gym(nastics)
l'histoire (f)	history
l'informatique (f)	ICT, computer studies
l'instruction civique (f)	PSE
l'instruction religieuse (f)	RE
la littérature	literature
les mathématiques (f)	mathematics
les maths (f)	maths
la matière préférée	favourite subject
la musique	music
la physique	physics
la poterie	pottery
les sciences (f)	science
les SES (f)	economics
les sciences naturelles	biology, natural sciences
le sport	sport
le sujet	subject, topic
la technologie	technology
les travaux manuels (m)	CDT
les travaux pratiques (m)	CDT

Phrases

Ma matière préférée est la géographie *My favourite lesson is geography*

Je suis fort(e)/faible en histoire *I am good/poor at history*

Je suis nul(le) en maths *I'm useless at maths*

La journée scolaire	The school day
l'après-midi (m)	afternoon
l'assemblée (f)	assembly
le cours	lesson
l'heure (f) du déjeuner	lunch hour
la leçon	lesson
le matin	morning
la pause (de midi)	(dinner) hour
la récréation	break

s'asseoir* *irreg*.............to sit down

faire attention *irreg* ....to be careful, pay attention

faire l'appel *irreg* ....to call the register

poser une question........to ask a question

se taire* *irreg* ....to be quiet

For **school uniform** see page 19

For **times** see page 85

Phrases

Les cours commencent à neuf heures et finissent à quatre heures *Lessons start at 9 and finish at 4*

La pause de midi est entre midi et demi et une heure et demie *Lunch break is from 12.30 to 1.30*

Je viens au collège en voiture/en car/à vélo *I come to school by car/by bus/by bike*

Je viens au collège à pied *I walk to school*

Je fais partie d'une équipe de hockey *I'm in a hockey team*

L'année scolaire	**The school year**
la bourse	scholarship
l'échange scolaire (m)	school exchange
l'emploi du temps (m)	timetable
l'enseignement (m)	teaching, education
les grandes vacances (f)	summer holidays
la rentrée (des classes)	start of school year
la semaine	week
le trimestre	term
les vacances de février (f)	February half term
les vacances de la Toussaint	autumn half term
les vacances de Noël (f)	Christmas holidays
les vacances de Pâques (f)	Easter holidays
les vacances d'hiver (f)	February half term

Dans la salle de classe	**In the classroom**
le bureau du professeur	teacher's desk
le casier	locker, pigeon hole
la chaise	chair
la craie	chalk
la fenêtre	window
le placard	cupboard
la porte	door
la table	table
le tableau (noir/blanc)	(black/white) board

le casque	headphones
le chiffon	duster
l'écran (m)	screen
l'éponge (f)	sponge

le magnétophone	tape recorder
le magnétoscope	video recorder
le microphone	microphone
l'ordinateur (m)	computer
le rétroprojecteur	overhead projector

le calcul	sum, calculation
la copie	exercise, piece of work
le devoir de français	French homework
les devoirs (m)	homework, prep
le dossier	project
l'exercice (m)	exercise
l'extrait (m)	extract
la grammaire	grammar
le problème	problem
le récit	story, account
la rédaction	essay
le résumé	summary
le symbole	symbol
le texte	text
le titre	title
le vocabulaire	vocabulary

la case	square, box
l'écriture (f)	handwriting
l'erreur (f)	mistake
l'exemple (m)	example
la faute	mistake
la langue	language
la lecture	reading

la ligne	line	le sac à dos	rucksack
le mot	word	le taille-crayon	pencil sharpener
l'orthographe (f)	spelling		
la page	page	l'agrafe (f)	staple
la phrase	phrase, sentence	l'agrafeuse (f)	stapler
		la carte	map
le bulletin	report	les ciseaux (m)	scissors
le dialogue	dialogue	le dictionnaire	dictionary
la discipline	discipline	la feuille de papier	sheet of paper
le discours	speech	le papier (à dessin)	(drawing) paper
l'enseignement (m)	teaching	la perforeuse	hole punch
la parole	word, speech	la punaise	drawing pin
la permission	permission	le scotch®	Sellotape®
le progrès	progress	le trombone	paper clip
le résultat	result		
le silence	silence	**Des verbes utiles**	**Useful verbs**
le succès	success	calculer	to calculate
		cocher	to tick
Le matériel scolaire	**Classroom equipment**	coller	to stick, glue
le bloc-notes	notepad, note book	comparer	to compare
le cahier	exercise book	compléter †	to complete
le cahier de brouillon	rough book	copier	to copy
la calculatrice/calculette	calculator	corriger †	to correct, mark
le carnet	notebook, vocab book	découper	to cut out
le cartable	schoolbag	effacer †	to rub out, erase
le classeur	folder, file, binder	encercler	to circle, ring round
le crayon	pencil	mettre dans le bon ordre *irreg*	
l'encre (f)	ink		to put in the right order
le feutre	felt tip pen	rayer †	to cross out
le fichier	file (for paper)	souligner	to underline
la gomme	rubber		
le livre	book	comprendre *irreg*	to understand
le manuel	text book	correspondre	to correspond
la règle	ruler; rule	discuter	to discuss, chat
le stylo	pen	étudier	to study
la trousse	pencil case	expliquer	to explain
		imaginer	to imagine
le bâton de colle	glue stick	noter	to note
la cartouche	ink cartridge	prononcer †	to pronounce
la colle	glue	répéter †	to repeat
l'effaceur (m)	eraser pen	se terminer*	to end, finish
le fluo	highlighter pen	terminer	to finish, complete

traduire *irreg* ....to translate
travailler dur ....to work hard
vouloir dire *irreg* ....to mean

être en retard *irreg*........to be late
être en retenue ....to be in detention
faire des progrès *irreg* ..to make progress
faire ses devoirs............to do one's homework
faire ses excuses ....to apologise
faire une expérience .....to do an experiment
jouer à...........................to play (sport)
jouer de........................to play (instrument)

assister à ....to be present at
causer ....to cause, chat
chahuter.......................to play up, mess about
deviner..........................to guess
encourager † ....to encourage
enseigner ....to teach
indiquer ....to point out
inventer........................to invent
laisser tomber ....to drop
permettre *irreg* ....to allow, give
                                              permission
surveiller.......................to supervise

C'est comment?   What is it like?
absent ....absent, away
bavard...........................talkative
consciencieux...............conscientious
marrant ....amusing, funny
présent ....present, here
rigolo ....amusing
sévère/strict ....strict
travailleur ....hard-working

en béton ....of concrete
en brique......................of brick
mixte............................mixed

compliqué....................complicated
contraire ....opposite

correct ....correct
difficile........................difficult
droit..............................right, straight
égal...............................equal
exact.............................exact, precise
facile ....easy
faux ....wrong
inutile ....useless
moyen ....average
par cœur ....by heart
précis...........................precise
préféré ....favourite
terminal ....last (final)
utile ....useful
vrai ....true, right

Les examens et après
Exams and afterwards
le bac...........................A level equivalent
le baccalauréat ....A level equivalent
le brevet (BEPC)..........GCSE equivalent exam
le certificat ....certificate
le contrôle ....assessment test
le diplôme ....certificate
l'épreuve (f) ....test paper, exam
l'épreuve écrite (f) ....written exam
l'épreuve orale (f) ....speaking test
l'examen (m)................examination
l'examen blanc (m)......mock exams

les études littéraires (f)...........literary studies
les études scientifiques (f) .....scientific studies
les langues (f)...............languages
le lycée ....VI form college
le lycée technique ....technical school
la médecine ....medicine (science)
les sciences (f) ....sciences

For **choice of study** see page 69

la bonne réponse ....right answer
le bulletin ....report

l'enseignement (m) ...... teaching
l'intention (f) .... intention
la mauvaise réponse ..... wrong answer
le niveau .... level
la note .... mark
la note d'admission ...... pass mark
les notes (f) .... marks
la question .... question
la réponse .... answer
le résultat .... result
le travail .... work

Des verbes utiles   **Useful verbs**
avoir la moyenne *irreg* ..... to get a pass mark
avoir raison .... to be right
avoir tort .... to be wrong
avoir une bonne note .... to get a good mark
avoir une mauvaise note ...... to get a bad mark
être reçu à un examen *irreg* . to pass an exam
faire ses études *irreg* .... to study
passer un examen .... to take an exam

se préparer* pour .... to prepare for
rater un examen .... to fail an exam
repasser un examen ...... to resit an exam
répondre à la question .. to answer the question
réussir à un examen ..... to pass an exam
réviser .... to revise
tricher .... to cheat

Les activités extrascolaires
                           Out of school activities
la chorale .... choir
le club .... club
l'échange (m) .... exchange
l'équipe (f) .... team
l'excursion (f) .... trip, outing
la fanfare .... brass band
le match .... match
l'orchestre (m) .... orchestra
la pièce de théâtre .... play
le tournoi .... tournament
la visite .... visit

Phrases

Qu'est-ce que tu vas faire l'année prochaine? *What are you going to do next year?*
Je vais quitter l'école *I'm going to leave school*
Je vais travailler comme maçon avec mon père *I'm going to work as a builder with my father*
Je serai apprenti(e) *I am going to do an apprenticeship*
Je vais entrer en première *I'm going into the Sixth Form/Year 12*
Je vais étudier la biologie, la géographie, les maths et le français
    I'm going to do biology, geography, maths and French

HOLIDAY TIME AND TRAVEL

2A   TRAVEL, TRANSPORT, FINDING THE WAY

Pour aller à?	How do I get to?
Pardon Madame	Excuse me
Pardon Monsieur	Excuse me
Allez tout droit	Go straight on
Descendez la rue	Go down the street
Empruntez la N 176	Take the N176
Montez la rue	Go up the street
Tournez à droite	Turn right
Tournez à gauche	Turn left
Traversez la rue	Cross the road
Merci beaucoup	Thank you very much

For **landmarks** see page 17

For **buildings** see page 16

Où est-ce?	Where is it?
à 10 km de	10 km from
après le carrefour	after the crossroads
au coin de la rue	on the street corner
avant le kiosque	before the kiosk
à côté de la poste	next to the post office
derrière le théâtre	behind the theatre
devant le cinéma	outside the cinema
en face de la banque	opposite the bank
près de la place	near the square
près d'ici	near here
à proximité de …	near to, close to …

Phrases

Pour aller à la gare, s'il vous plaît? *What is the way to the station, please?*

Où est la gare routière? *Where is the coach station?*

Prenez la première à droite *Take the first on the right*

C'est loin d'ici? *Is it far?*   C'est à quelle distance? *How far is it?*

C'est tout près. C'est à cinq minutes à pied *It's very near. It's a five minute walk*

Des panneaux	Signs
accès aux quais	to the platforms
accès interdit (m)	no entry
défense d'entrer	no entry
défense de marcher sur le gazon	keep off the grass
déviation	diversion
interdit aux cyclistes	no cyclists
péage	toll
rappel	reminder
réservé aux piétons	pedestrians only
sens unique (m)	one way
serrez à droite	keep to the right
stationnement interdit (m)	no parking
toutes directions	all routes
travaux (m pl)	roadworks

For **shop signs** see page 61

Les moyens de transport	Means of transport
l'autobus (m)	bus
l'autocar (m)	coach
l'avion (m)	plane
la bicyclette	bicycle
le bus	bus
le camion	lorry
la camionnette	van
le car	coach
l'hélicoptère (m)	helicopter
l'hydroglisseur (m)	hydrofoil
le jet	jetfoil
le métro	underground, metro
la mobylette	moped
la moto	motorbike
le poids lourd	lorry, HGV

le train	train	inclus	included
le tramway	tram	y compris	including
les transports en commun	public transport	en première classe	(in) first class
		en seconde	(in) second class
le vélo	bike		
la voiture	car	les bagages (m)	luggage
le VTT (vélo tout terrain)	mountain bike	la barrière	barrier
		le bureau de réservation	ticket office

On prend le train   Train travel

l'arrivée (f)	arrival	le centre d'accueil	reception
le changement d'horaire	timetable change	la consigne (automatique)	left luggage (lockers)
le chemin de fer	railway	la gare SNCF	railway station
le congé	annual holiday, leave	le guichet	ticket office
les correspondances (f)	connections	le quai	platform
le départ	departure	la salle d'attente	waiting room
la destination	destination	la station de taxis	taxi rank
l'horaire (m)	timetable	la voie (ferrée)	(railway) track
le jour férié	public holiday		
les renseignements (m)	information	le buffet	buffet (car)
le réseau	network	le compartiment	compartment
le retard	delay	la couchette	sleeper, couchette
le trajet	journey	la voiture	carriage
les vacances (f)	holidays	le wagon-lit	sleeping car
le voyage	journey	le wagon-restaurant	dining car

l'express (m)	express train	en direction de	going to
l'omnibus (m)	stopping train	à l'heure	on time
le rapide	express	en provenance de	coming from
le TGV	high speed train	en retard	late
le train	train	libre	free, unoccupied
le (non-)fumeur	(non-)smoker		

un (aller) simple	a single ticket	aller* chercher *irreg*	to fetch
un aller-retour	a return ticket	descendre* (de)	to get off/out of
le billet	ticket	manquer	to miss
la réservation	reservation	monter* (dans)	to get on/into
		partir* (de) *irreg*	to leave (from)
à l'avance	in advance	prendre le train *irreg*	to catch the train
en avance	in advance	rater	to miss (train)
		voyager en train †	to go by train

Phrases

Le train part à quelle heure? *What time does the train leave?*

Le train part à neuf heures *The train leaves at 9.00*

Il y a vingt minutes de retard *There is a 20 minute delay*

Le billet coûte cent euros *The ticket costs 100 euros*

Il y a un supplément de vingt-cinq euros pour le TGV
   There is a 25 euro supplement for the high speed TGV train

---

On prend le bus ou le tramway
                Bus or tram travel

l'arrêt (m) ....bus stop

la gare routière ....coach station

le haut-parleur ....loudspeaker

la ligne..........................line, route

le numéro.....................number

l'automate (m)..............ticket machine

le carnet ....book of tickets

le compostage...............date stamping

le composteur ....ticket validating
                machine

le mini-carnet................book of five tickets

le tarif ....fare

le ticket ....ticket

composter ....to time stamp a ticket

renseigner ....to give information to

se renseigner* (sur) ......to find out (about)

transporter.....................to transport

Phrases

Il y a un autobus toutes les dix minutes *There is a bus every 10 minutes*

L'autobus est tombé en panne *The bus has broken down*

On traverse la Manche
                Crossing the Channel

le bateau ....boat

le (car-)ferry ....(car) ferry

la gare maritime ....ferry terminal

le mal de mer................seasickness

la mer...........................sea

la navette ....shuttle

le port ....port

le shuttle ....shuttle

la traversée ....crossing

le tunnel sous la Manche .. Channel Tunnel

agité..............................rough

calme ....calm

débarquer......................to get off a ship

s'embarquer*................to get on a ship

monter* sur le pont ......to go up on deck

On prend l'avion   Flying

l'avion (m)....................plane

l'avion géant (m) ....jumbo jet

la cabine........................cabin

la ceinture de sécurité ...seat belt

l'aéroport (m) ....airport

la porte..........................gate

le terminal.....................terminal

l'appel (m) ....call

l'atterrissage (m) ....landing

la classe touriste ....tourist class

l'embarquement (m).....boarding

la ponctualité ....punctuality

le vol.............................flight

hors taxe ....tax-free

atterrir...........................to land
confirmer......................to confirm
consulter......................to consult
contrôler.......................to examine, check
décoller........................to take off (plane)
s'embarquer*...............to board a plane
enregistrer ses bagages. to check in
s'installer*....................to sit in a seat
prendre l'avion *irreg*....to fly (person)
trouver une place..........to find a seat

On roule en voiture   Going by car
l'autoroute (f)...............motorway
le carrefour...................crossroads
les feux (m) ....traffic lights
le feu vert ....green traffic light
le garage.......................garage
le parking ....car park
le rond-point.................roundabout
le stationnement ....parking
la station-service ....petrol station
les toilettes (f) ....toilets
les travaux (m) ....roadworks
le trottoir......................pavement

l'aire de pique-nique (f) .... picnic area
l'aire de repos (f)..........picnic area
le bouchon....................traffic jam
la chaussée ....roadway
l'embouteillage (m)......traffic jam
le péage ....toll
la route départmentale (D) ... secondary road
la route nationale (RN)........ main road
la sécurité école............crossing patrol
le virage........................bend

l'auto-école (f)..............driving school
la carte (routière)..........map
le code de la route ....highway code
le danger......................danger
la déviation..................diversion
la fin ....end
l'heure d'affluence (f) ..rush hour
le numéro.....................number
le permis de conduire ...driving licence
la pièce d'identité ....ID
la priorité ....priority
la retenue ....hold up, delay
la vitesse ....speed

allumer les phares.........to switch on the
                     headlights
arrêter le moteur ....to switch off the
                     engine
avancer † ....to go forward
circuler ....to go (vehicle)
conduire *irreg*...............to drive
se déplacer* †...............to travel
faire le plein *irreg* ....to fill up with fuel
freiner ....to brake
gonfler les pneus ....to pump up the tyres
laver le pare-brise.........to wash the
                     windscreen
mettre le moteur en marche *irreg*
            ....to start the engine
reculer...........................to reverse
remettre *irreg* ....to put back, restart
rouler ....to travel (car)
stationner......................to park
tomber* en panne ....to break down

Phrases

Est-ce que vous vendez des plans de la ville, s'il vous plaît? *Do you sell town plans, please?*

Où est la banque, s'il vous plaît? *Where is the bank, please?*

Regardez le plan. C'est à côté de la bibliothèque *Look at the plan. It's next to the library*

C'est un grand bâtiment en brique/en pierre *It's a large brick/stone building*

2B   TOURISM

Le tourisme — Tourism

le pays	country
la région	region
le séjour	stay
le trajet	journey
les vacances (f)	holidays
le voyage	journey

l'agence de voyages (f)	travel agency
le bureau de change	bureau de change
la liste des restaurants	list of restaurants
l'office du tourisme (m)	tourist office
le syndicat d'initiative	information office

Phrases

Qu'est-ce qu'il y a à voir et à faire dans la région? *What is there to see and do in the area?*

Avez-vous une liste d'hôtels? *Do you have a list of hotels?*

Les excursions — Outings

la fête foraine	funfair
la fête nationale	national holiday
la foire	fair, market
le jardin zoologique	zoo
le parc d'attractions	amusement park
le parc national	national park
le pique-nique	picnic
la promenade	walk
la randonnée	long walk

Les gens — People

le campeur	camper
le chauffeur de car	coach driver
le garçon	waiter
la mère aubergiste	youth hostel warden
le patron	owner
la patronne	owner
le père aubergiste	youth hostel warden
le, la propriétaire	owner
le, la réceptionniste	receptionist
le, la responsable	group leader
le, la touriste	tourist
les vacanciers (m)	holiday makers

L'hébergement — Lodging

l'auberge de jeunesse (f)	youth hostel
le camping	camp site

la chambre d'hôte	bed and breakfast
le gîte	self-catering cottage
l'hôtel (m)	hotel
la pension	boarding house
le studio	studio flat

la demi-pension	half board
la pension complète	full board
le prix	price

complet	full
(non) compris	(not) included
confortable	comfortable
défendu	not allowed
disponible	available
luxueux	luxurious
obligatoire	compulsory
occupé	taken
pas cher	not dear
privé	private
provisoire	provisional

héberger †	to put up for the night
loger †	to lodge

Combien de personnes? — How many?

l'adulte (m)(f)	adult
l'enfant (m)(f)	child

la personne .... person
âgé de moins de 3 ans .. under three

Quand y êtes-vous allé? When did you go?
l'année dernière (f) .... last year
en été .... in summer
en hiver .... in winter
il y a deux mois .... two months ago
il y a une quinzaine ...... a fortnight ago
pendant les grandes vacances
        .... during the summer holidays
pendant le week-end .... at the weekend
la semaine dernière ...... last week

Quand y allez-vous?   When are you going?
à l'avenir .... in the future
l'année prochaine .... next year
au mois d'août .... in August
dans huit jours .... in a week's time
dans trois mois .... in three months' time
demain .... tomorrow
à Noël .... at Christmas
à Pâques .... at Easter
la semaine prochaine .... next week

Avec qui?   With whom?
l'ami (m), l'amie (f) ..... friend
le copain, la copine ...... friend
la famille .... family

Pour combien de temps?   For how long?
pour un jour .... for a day
pour un mois .... for a month
pour une nuit .... for a night
pour quatre nuits .... for four nights
pour trois jours .... for three days
pour une quinzaine .... for a fortnight
pour une semaine .... for a week
passer quinze jours .... to spend a fortnight

Où allez-vous?   Where are you going?
à la campagne .... to the country
à l'étranger .... abroad

dans la forêt .... into the forest
à la montagne .... to the mountains
à la plage .... to the beach

C'est comment?   What is it like?
fantastique .... fantastic
incroyable .... incredible
jumelé .... twinned
superbe .... superb
supérieur .... superior
touristique .... popular with tourists

être en vacances *irreg* .... to be on holiday
faire ses bagages *irreg* ...... to pack
faire une promenade .... to go for a walk
faire une randonnée .... to go for a hike
se mettre* en route *irreg* ... to set out
partir* en avion *irreg* .... to leave by plane
partir* en vacances *irreg* ... to go on holiday

J'ai besoin …   I need …
d'un appareil-photo (m) ... a camera
d'un caméscope .... a camcorder
d'une carte d'adhérent .. a membership card
d'une carte de la région a map of the region
d'une carte d'identité ... an identity card
d'un dépliant .... a brochure
d'un flash .... a flash gun
des lunettes de soleil .... sunglasses
d'un passeport .... a passport
d'une photo .... a photo
d'un plan de la ville ...... a town plan
d'un sac à dos .... a rucksack
d'une valise .... a case

J'ai acheté …   I bought …
des biscuits .... biscuits
des cartes-postales .... postcards
un porte-clés .... a key ring
une poupée .... a doll
des souvenirs .... souvenirs
un T-shirt .... a T-shirt

On fait un échange
Going on an exchange

le correspondant	penfriend
la correspondante	penfriend
la famille anglaise	English family
la famille française	French family
le professeur	teacher

l'argent de poche (m)	pocket money
le collège	school
la comparaison	comparison
les cours (m)	lessons
la cuisine anglaise	English cooking
la cuisine française	French cooking
les devoirs (m)	homework
la durée	length (stay, lesson)
l'excursion (f)	outing
le jumelage	town twinning
les loisirs (m)	free time
les sports (m)	sports
le trajet	journey
l'uniforme scolaire (m)	school uniform
la visite scolaire	school trip

aller* voir *irreg*	to visit (person)
arranger †	to arrange, organise
comparer à	to compare
contacter	to contact
défaire sa valise *irreg*	to unpack (suitcase)
faire contraste avec *irreg*	to contrast
visiter	to visit (place)

For **opinions** see page 76

Le temps   Weather

le bulletin météo	weather forecast
la météo marine	shipping forecast
la photo satellite	satellite picture
la prévision	forecast

l'averse (f)	shower, downpour
le brouillard	fog
la neige	snow

le nuage	cloud
l'orage (m)	storm
la pluie	rain
le soleil	sun, sunshine
la température	temperature
la tempête	storm
le tonnerre	thunder
le vent	wind

le ciel	sky
la chaleur	heat
le climat	climate
le degré	degree
la glace	ice
l'humidité	dampness, humidity
la lune	moon
la mer	sea
l'ombre (f)	shadow, shade
la précipitation	precipitation

l'amélioration (f)	improvement
l'arc-en-ciel (m)	rainbow
la brume	mist
l'éclair (m)	flash of lightning
la goutte	drop
la grêle	hail
la pression	pressure
la visibilité	visibility

Quel temps fait-il aujourd'hui?
What is the weather like today?

Il fait 30 (degrés)	It is 30 degrees
Il fait beau	It is fine
Il fait chaud	It is hot
Il fait froid	It is cold
Il fait jour	It is light
Il fait mauvais	The weather is bad
Il fait noir	It is dark
Il fait nuit	It is dark
Il fait du brouilllard	It is foggy
Il fait du soleil	It is sunny
Il fait du vent	It is windy

Il y a des éclairs .... It is lightning
Il y a des nuages .... It is cloudy
Il y a de l'orage .... It is stormy

Il gèle .... It is freezing
Il grêle .... It is hailing
Il neige .... It is snowing
Il pleut .... It is raining
Il tonne .... It is thundering

Quand?   **When?**
après-demain................. the day after tomorrow
de temps en temps........ from time to time
demain........................... tomorrow
généralement................ usually
quelquefois................... sometimes
souvent .... often
tout à l'heure .... shortly, recently

D'après la météo
          According to the weather forecast
Demain?   **Tomorrow?**
il fera 30 (degrés)......... it will be 30 degrees
il fera beau.................... it will be fine
il fera chaud.................. it will be hot
il fera froid .... it will be cold
il fera du brouillard ...... it will be foggy
il fera du soleil .... it will be sunny
il fera du vent .... it will be windy

il y aura des éclaircies
.... there will be bright spells
il y aura des nuages ...... it will be cloudy
il y aura de l'orage .... it will be stormy

Hier ...   **Yesterday ...**
il faisait 30 (degrés) ..... it was 30 degrees
il faisait beau .... it was fine
il faisait chaud.............. it was hot
il faisait froid .... it was cold
il faisait mauvais .... the weather was bad
il faisait du brouillard... it was foggy
il faisait du soleil.......... it was sunny

il faisait du vent............ it was windy
il y avait des nuages ....it was cloudy
il gelait.......................... it was freezing
il neigeait .... it was snowing
il pleuvait .... it was raining

Des adjectifs   **Some adjectives**
bleu............................... blue
brumeux .... misty
couvert.......................... cloudy
dégagé .... clear
ensoleillé .... sunny
humide.......................... wet
lourd .... heavy, sultry
maximum .... maximum
meilleur .... better
mouillé .... wet
neigeux .... snowy
nuageux .... cloudy
orageux......................... stormy
pluvieux........................ rainy
tiède.............................. mild
variable......................... variable

annoncer † .... to announce, forecast
prévenir *irreg* .... to warn
prévoir *irreg* .... to forecast

se baisser* .... to lower
briller............................ to shine
éclater........................... to burst
geler † .... to freeze
neiger † .... to snow
pleuvoir *irreg* .... to rain
se refroidir* .... to get colder
souffler .... to blow
tonner .... to thunder
varier .... to vary

For **holidays** see page 36
For **celebrations** see page 48, page 66
For **restaurants** see page 37
For **opinions** see page 76

2C ACCOMMODATION

L'hôtel	The hotel
la chambre	room
la chambre libre	unoccupied room
la chambre double	double room
la chambre familiale	family room
la chambre pour 2 personnes	double room
la chambre pour une personne	single room
le confort	comfort
la fiche	form
le luxe	luxury
le prix	price
l'ascenseur (m)	lift
l'entrée (f)	entrance
l'escalier (m)	stairs
l'étage (m)	storey, floor
le parking	car park
la réception	reception
le restaurant	restaurant
le rez-de-chaussée	ground floor
la salle de bains	bathroom
la sortie (de secours)	(emergency) exit
le sous-sol	basement

La chambre	Bedroom
l'armoire (f)	wardrobe
le bain	bath
le cintre	coat hanger
la clé/clef	key
la couette	duvet, quilt
la couverture	blanket
la douche	shower
le drap	sheet
le grand lit	double bed
la housse	duvet cover
le lit	bed
l'oreiller (m)	pillow
le savon	soap
la serviette	towel
le téléphone	telephone
le téléviseur	TV set
les toilettes (f)	toilets
la femme de chambre	chambermaid
le gérant	manager
le propriétaire	owner
la réceptionniste	receptionist

Phrases

Y a-t-il un parking? *Is there a car park?*

Oui, vous pouvez stationner derrière l'hôtel *Yes, you can park behind the hotel*

Où sont les toilettes? *Where are the toilets?*

De l'autre côté de l'ascenseur *On the other side of the lift*

Le restaurant est au rez-de chaussée *The restaurant is on the ground floor*

Il est interdit de fumer au restaurant *Smoking is not allowed in the restaurant*

Quel est le prix de la chambre par nuit? *How much is the room per night?*

On peut prendre le petit déjeuner entre sept heures et neuf heures
    You can have breakfast between 7 and 9

Vous pouvez dîner entre huit heures et dix heures *The evening meal is served between 8 and 10*

Il n'y a pas de serviettes dans la chambre 15 *There are no towels in room 15*

Nous voudrions changer de chambre – il y a trop de bruit
    We'd like to change rooms – it's too noisy

Le camping   The campsite

le bloc sanitaire .... toilet block
le bureau d'accueil .... reception
la caravane .... caravan
le carnet de camping .... camping carnet
l'emplacement (m) .... pitch
la piscine .... swimming pool
la piscine chauffée .... heated pool
la piscine couverte .... indoor pool
la piscine en plein air ... open air pool
la salle de jeux .... games room
le supplément .... supplement
la tente .... tent

le bac à vaisselle .... washing up sink
le branchement électrique . electric hook-up
la laverie .... laundry
les plats à emporter (m) ..... take-away meals
les plats cuisinés (m) .... ready-cooked dish

les allumettes (f) .... matches
la bouteille de gaz .... gas cyclinder
le canif .... pocket knife
la cuisinière à gaz .... gas cooker
la ficelle .... string
la lampe de poche .... torch
la lampe électrique .... torch
le matelas .... mattress
le matériel de camping ..... camping equipment
les provisions (f) .... food
le sac de couchage .... sleeping bag
le véhicule .... vehicle

l'eau (non) potable (f) .. (non) drinking water
le lave-linge .... washing machine
la lessive .... washing (clothes)

la location de vélos .... cycle hire

à l'ombre .... shady
au soleil .... sunny
en plein air .... in the open air
municipal .... council-run

camper .... to camp
descendre* une tente .... to take down a tent
dresser une tente .... to pitch a tent
faire du camping *irreg* .. to go camping
faire la cuisine *irreg* ..... to cook

L'auberge de jeunesse   Youth hostel

le bureau .... office
la cuisine .... kitchen
le dortoir .... dormitory
la salle à manger .... dining room
la salle de séjour .... day room

la couverture .... blanket
le drap-sac .... sheet sleeping bag
l'eau chaude (f) .... hot water
le linge .... linen
la poubelle .... rubbish bin

louer .... to hire
réserver .... to reserve, book
signer .... to sign
payer † .... to pay

For **food** see page 50
For **restaurant** see page 37
For **weather** see page 32
For **holiday activities** see page 36
For **days, months, seasons** see page 86

2D   HOLIDAY ACTIVITIES

Au bord de la mer   At the seaside

le bateau ....boat
le bateau (de pêche)......(fishing) boat
le bateau à voiles ....sailing boat
la boîte de nuit..............night club
le cinéma ....cinema
la piscine ....swimming pool
le terrain de golf ....golf course
le vélodrome.................cycle stadium

For **outings** see page 30

la cabine ....beach hut
les coquillages (m) ....shells
la falaise ....cliff
le gilet de sauvetage .....life jacket
la glace ....ice cream
la marée basse ....low tide
la marée haute ....high tide
la mer...........................sea
la mouette ....seagull
le pêcheur ....fisherman
le phare ....lighthouse
la plage ....beach
la plage (non) surveillée
    ....(un)supervised beach
le port ....port

le quai ....quay
le sable.........................sand
la station balnéaire........seaside resort
la vague ....wave (sea)
la vase ....mud, sludge
le vendeur de glaces .....ice cream seller

les boules ....boules
la canne à pêche............fishing rod
le chapeau de soleil ......sunhat
le filet (de pêche)..........(fishing) net
l'huile solaire (f)...........sun oil
les lunettes de soleil (f)...sunglasses
la pelle ....spade
le seau ....bucket

se balader* ....to go for a stroll
se bronzer* ....to sunbathe
faire de la planche à voile *irreg*
    ....to windsurf
faire de la plongée sous-marine
    ....to scuba dive
faire de la voile ....to sail
faire du surf ....to surf
nager † ....to swim
plonger † ....to dive
ramer............................to row

Phrases

J'aime faire de la planche à voile *I like sailboarding*
Mon frère préfère faire du surf *My brother prefers surfing*

Les sports d'hiver   Winter sports

La station de ski   Ski resort
le chalet ....chalet
la montagne ....mountain
la neige ....snow
la patinoire...................ice rink
la pente ....slope
la piste ....piste, ski run

le téléférique.................cable car

Les gens   People
le débutant ....beginner
le guide ....guide
le moniteur de ski ....ski instructor
le skieur ....skier

Le matériel de ski   Skiing equipment

le bonnet.......................hat
les chaussures de ski (f) ...ski boots
le gant...........................glove
la salopette ....ski pants
le ski ....ski

partir* en vacances de neige *irreg*
............................to take a winter holiday
faire de la luge *irreg*.....to go sledging
faire de la planche à neige
...............................to go snowboarding
faire du ski...................to ski
glisser ....to slide

For **opinions** see page 76
For **outings** see page 30

On mange, on boit
Eating and drinking

Des panneaux   Signs

la dégustation ....tasting
la formule de 20 euros..20 euro menu
le menu (à prix fixe).....(fixed price) menu
le menu du jour ....menu of the day

Exclamations   Exclamations

à votre santé! ....Cheers!
bon appétit! ....Enjoy your meal!
ça suffit! ....That is enough!
merci! ....(no) thank you!
s'il vous plaît...............please

Les repas   Meals

le casse-croûte..............snack
le déjeuner....................lunch, midday meal
le dîner ....dinner, evening meal
le goûter ....afternoon snack
le petit déjeuner...........breakfast

Où allez-vous manger?
Where are you going to eat?
le bar.............................bar

le bistro.........................bistro
la brasserie...................brasserie
le café ....café
le café-tabac ....café, pub
la cafétéria ....supermarket café
la crêperie ....pancake restaurant
le restaurant ....restaurant
le restaurant rapide ....fast food restaurant
le self............................self-service restaurant

Les gens   People

le caissier, la caissière ..till operator
le chef...........................chef
le client, la cliente ....customer
le garçon.......................waiter
le patron, la patronne....owner
le serveur, la serveuse ..waiter, waitress

Au restaurant   In a restaurant

à l'intérieur...................inside
la table ....table
le téléphone ....telephone
sur la terrasse...............outside, on the terrace
les toilettes (f)...............toilets

le choix ....choice
la cuisine chinoise ....Chinese food
la cuisine française ....French food
la cuisine indienne........Indian food
la cuisine italienne........Italian food
la grillade......................grill
la spécialité (du pays)...(local) speciality

le goût...........................taste
l'odeur (f) ....smell
le parfum ....flavour
la part............................part, portion, share

l'addition (f) ....bill
le couvert......................cover charge
le pourboire ....tip (money)
la recette ....receipt, recipe

le service ....service charge
appétisant ....appetising
en sus..........................extra (cost)
service (non) compris...service (not) included

La carte Menu
à la carte ....à la carte
le dessert......................dessert
l'entrée (f) ....entrée
les fromages (m)...........cheese
le plat du jour ....the day's "special"
le plat principal.............main course
les poissons (m)............fish

Les hors d'œuvre Starters
l'assiette anglaise (f) ....mixed cold meats
les crudités (f)...............chopped raw vegetables
le pâté ....pâté
le potage ....soup
la salade de tomates......tomato salad
le saucisson ....salami sausage
la soupe (à l'oignon) ....(onion) soup
la terrine ....pâté

Le plat principal Main course
le coq au vin ....chicken in red wine
la côte de porc ....pork chop
l'entrecôte (f)................cutlet
l'escalope de veau (f)...veal escalope
l'omelette (f) ....omelette
la pizza ....pizza
la sauce........................sauce, gravy
le steak frites ....steak and chips
la viande hachée ....mince

Les légumes Vegetables
les champignons...........mushrooms
les petits pois................peas
les pommes de terre......potatoes
les pommes vapeur.......boiled potatoes
le riz.............................rice

Le dessert Dessert
la crème caramel..........crème caramel
la crème chantilly ....whipped cream
la crêpe ....pancake
le fromage (de chèvre)..(goat's) cheese
la glace (maison) ....(home made) ice cream
la glace à la vanille ......vanilla ice cream
la glace au chocolat .....chocolate ice cream
la mousse au chocolat...chocolate mousse
la pâtisserie ....cake, pastry
la tarte aux pommes......apple tart
le yaourt.......................yoghurt

Sur la table On the table
l'assiette (f)..................plate
le bol ....bowl
la bouteille ....bottle
la cafetière ....coffee pot
la carafe ....carafe
la chope ....beer mug
le couteau.....................knife
la cuiller......................spoon
la cuillère (à café)........spoon (tea)
la fourchette.................fork
la mayonaisse ....mayonaisse
la moutarde ....mustard
la nappe ....tablecloth
le plateau ....tray
le poivre.......................pepper (spice)
le sel............................salt
la serviette ....serviette
la soucoupe..................saucer
la tasse ....cup
la théière ....teapot
le tire-bouchon.............corkscrew
la vaisselle ....crockery
le verre (à vin) ....(wine) glass

Au café

Les boissons

l'apéritif (m) .... pre-meal drink, aperitif
la bière .... beer
le bock de bière .... a beer
le café .... coffee (black)
le café-crème .... white coffee
le chocolat chaud .... hot chocolate
le cidre .... cider
le coca-cola® .... coca cola®
l'eau minérale (gazeuse) (f)
.... (sparkling) mineral water
le glaçon .... ice cube
le jus de fruit .... fruit juice
le jus d'orange .... orange juice
la limonade .... lemonade
l'orangina® (m) .... orangina®
le thé .... tea
le vin blanc .... white wine
le vin rouge .... red wine
ordinaire .... ordinary, usual
plein .... full
rosé .... rosé (wine)

Un casse-croûte

les chips (m) .... crisps
le cône (de frites) .... cone (of chips)
la crêpe .... pancake
le croque-monsieur .... toasted sandwich
la glace .... ice cream
le hamburger .... hamburger
le sandwich au fromage .... cheese sandwich

At the café

Drinks

le sandwich au jambon ...... ham sandwich
la tartine .... bread and butter
le toast .... toast

Des verbes utiles

adorer .... to love
apporter .... to bring
avoir envie de *irreg* ...... to want to
avoir faim/soif .... to be hungry/thirsty
commander .... to order
déjeuner .... to have lunch
dîner .... to have evening meal
emporter .... to take away
griller .... to grill
passer .... to pass (at table)
prendre le petit déjeuner *irreg*
.... to have breakfast
réserver .... to reserve

déguster .... to taste
se plaindre* *irreg* .... to complain
plaire *irreg* .... to please
recommander .... to recommend
réserver .... to book (table)
retenir *irreg* .... to reserve (table)
rôtir .... to roast
servir *irreg* .... to serve
se servir* de *irreg* .... to use

A snack

Useful verbs

For **accepting and refusing** see page 57
For **food** see page 50

Phrases

Veux-tu boire quelque chose? *Would you like a drink?*

Si on allait manger? *Shall we go and eat?*

J'ai réservé une table pour quatre personnes *I have booked a table for four*

L'addition, s'il vous plaît *The bill, please*

Ce n'est pas ce que j'ai commandé *It is not what I ordered*

La viande n'est pas assez cuite *The meat is not well enough cooked*

2E   SERVICES

A la poste	**At the post office**
l'adresse (f) ....address	
la boîte aux lettres ....letter box	
le (bureau de) tabac ......tobacconist's	
la carte postale.............postcard	
le courrier ....post, mail	
le facteur......................postman	
le guichet ....counter position	
la lettre.........................letter	
le paquet ....parcel	
la poste ....post office	
la télécarte de 50 unités ... 50 unit phone card	
le timbre(-poste)...........stamp	

le colis ....parcel
le formulaire ....form
la levée du courrier......postal collection
le mandat postal ....postal order
poste restante...............post to be collected

le tarif normal ....first class post
le tarif réduit ....second class post

par avion ....by air mail
à l'étranger...................abroad
en recommandé ....by registered post

distribuer le courrier .....to deliver the post
envelopper ....to pack (parcel)
envoyer † ....to send
faire une erreur *irreg* ....to make a mistake
mettre à la poste *irreg*...to post
poster ....to post
ré-expédier...................to send on
téléphoner à ....to phone
toucher un mandat ....to cash a postal order
utiliser..........................to use

For **phoning** see page 54

Phrases

Où est-ce que je peux acheter une télécarte? *Where can I buy a phone card?*
Est-ce que je peux envoyer un fax d'ici? *Can I send a fax from here?*
Est-ce qu'il est possible d'envoyer un email d'ici? *Can I e-mail from here?*
Est-ce qu'il y a du courrier pour moi? *Is there any post for me?*

A la banque	**At the bank**
la banque ....bank	
le bureau de change......exchange office	
la caisse ....till	
la caisse d'épargne ....savings bank	
le distributeur (automatique) de billets	
...............................cash dispenser	

l'argent (m) ....money
le billet de 20 euros ......20 euro note
le cent ....cent
le dollar ....dollar
le dollar canadien ....Canadian dollar
l'euro (m), € ....euro, €

le franc suisse ....Swiss franc
la livre sterling..............£ sterling

le billet (de banque)......note
la carte bancaire............bank card
la carte de crédit ....credit card
le chèque (de voyage)...(travellers') cheque
le chéquier ....cheque book
le compte ....account
l'eurochèque (m) ....Eurocheque
la monnaie ....change, currency
le numéro de compte ....account number
la pièce (d'argent).........coin

la commission .... commission
le passeport .... passport
la pièce d'identité .... ID
le pourcentage .... percentage
le taux de change .... exchange rate
la TVA .... VAT
pour cent .... per cent

encaisser .... to cash (cheque)
passer* à la caisse .... to go to the cash desk
prendre une commission *irreg*
.... to charge commission
remplir la fiche .... to fill in the form
retirer .... to withdraw (cash)
signer .... to sign
toucher un chèque .... to cash a cheque
valoir *irreg* .... to be worth

Phrases

Est-ce qu'il y a un distributeur (automatique) de billets près d'ici?
Is there a cash machine near here?
Pour changer de l'argent, c'est quel guichet? *Where can I change money?*

C'est à louer?   **Is it for hire?**
le bateau .... boat
la bicyclette .... bicycle
la caution .... deposit
la pièce d'identité .... ID
le vélo .... bike
louer .... to hire
signez ici .... sign here

Des objets trouvés Lost property

l'objet (m) .... object
l'appareil-photo (m) ..... camera
le caméscope .... video camera
le carnet de chèques ..... cheque book
la clé/clef .... key
les lunettes (f) .... pair of glasses
le parapluie .... umbrella
le portable .... mobile (phone)
le portefeuille .... wallet
le porte-monnaie .... purse
le sac à dos .... rucksack
le sac à main .... handbag
la valise .... suitcase

la couleur .... colour

la date .... date
la description .... description
le dommage .... damage
la fiche .... form
la forme .... shape
la marque .... make
la récompense .... reward
le règlement .... settlement
la taille .... size

perdu .... lost
il y a ....dedans .... there is ....in it
une sorte de .... a sort of

déposer .... to put down
laisser .... to leave
laisser tomber .... to drop
perdre .... to lose
signaler .... to report
voler .... to steal

For **days of week** see page 86
For **colours** see page 79
For **materials** see page 62

Phrases

J'ai perdu mon sac *I've lost my bag*

J'ai dû le laisser dans l'autobus *I must have left it on the bus*

On m'a volé mon portable *My mobile has been stolen*

Vous devez aller au commissariat de police *You'll have to go to the police station*

C'est comment? *What does it look like?*

Il est noir et il est en cuir *It is black and made of leather*

Les problèmes de santé
Health problems

le coup de soleil............sunburn

la diarrhée....................diarrhoea

la fatigue.....................tiredness, fatigue

la fièvre ....raised temperature

la grippe......................flu

l'insolation (f) ....sunstroke

le mal de mer................sea-sickness

le mal de tête ....headache

les règles (f)..................period

le rhume......................cold

la toux...........................cough

la chute ....fall

la crise cardiaque..........heart attack

l'indigestion (f) ....indigestion

le rhume des foins ....hay fever

le symptôme ....symptom

constipé ....constipated

la piqûre (d'insecte) .....(insect) sting, bite

l'abeille (f)...................bee

la guêpe ....wasp

l'insecte (m) ....insect

la mouche ....fly

le moustique ....mosquito

aller bien* *irreg*............to be well

aller mal*......................to be ill

aller mieux*..................to be better

avoir chaud *irreg*..........to be hot

avoir de la fièvre...........to have a raised temperature

avoir froid....................to be cold

avoir mal......................to hurt

avoir mal à la gorge......to have a sore throat

avoir mal à la tête ....to have a headache

avoir mal à l'estomac ...to have stomach ache

avoir mal à l'oreille ......to have earache

avoir mal au cœur........to feel sick

avoir mal au dos ....to have backache

avoir mal au ventre.......to have stomach ache

avoir mal aux dents ......to have toothache

avoir sommeil..............to be sleepy

avoir un rhume ....to have a cold

être fatigué *irreg*...........to be tired

guérir ....to cure

ordonner ....to prescribe

se remettre* *irreg* ....to get better

se sentir*......................to feel

soulager † ....to relieve pain

tomber* malade ....to fall ill

Chez le médecin et chez le dentiste
At the doctor's and the dentist's

le cabinet ....surgery (place)

la clinique ....clinic

la maladie ....illness

le médicament ....medicine, treatment

l'ordonnance (f)...........prescription

le problème ....problem

le remède ....remedy

le rendez-vous ....appointment

l'assurance (f)..............insurance
l'attestation du médecin (f)
..............................doctor's certificate
la douleur ....pain
les frais (m) ....expenses, cost
l'opération (f)...............operation
la piqûre ....injection
le plâtre........................plaster (bones)
le plombage..................filling
les premiers soins (m)..first aid
la radio ....X-ray
le secours.....................help, assistance

aller* voir *irreg*............to go and see
garder le lit ....to stay in bed
informer.......................to inform
piquer ....to sting, to inject
prendre la température *irreg*
...............................to take temperature
prendre rendez-vous ....to make an appointment
tousser ....to cough

avoir peur *irreg*............to be afraid
conseiller......................to advise
devenir* *irreg* ....to become
éternuer ....to sneeze
être admis à l'hôpital *irreg*
.........................to be admitted to hospital
faire venir le médicin ...to send for the doctor
frissonner.....................to shiver
s'inquiéter* † ....to be worried
mordre..........................to bite
saigner..........................to bleed

se sentir* bien *irreg*......to feel well
se sentir* mal *irreg* ......to feel ill
transpirer ....to sweat
vomir ....to vomit

A la pharmacie   At the chemist's
la croix verte.................green cross
la cuillerée ....spoonful
la température...............temperature
les antibiotiques (m).....antibiotics
l'aspirine (f)..................aspirin
le cachet.......................tablet
le comprimé..................tablet, pill
le pansement................dressing
la pastille ....throat sweet
la pilule........................pill
la serviette hygiénique .sanitary towel
le sirop.........................cough medicine
le sparadrap® ....plaster, elastoplast®
le suppositoire ....suppository
le tampon hygiénique ...tampon

l'après-rasage (m) ....after shave
le coton hydrophile.......cotton wool
la crème ....cream
la crème solaire ....sun cream
le dentifrice ....toothpaste
le flacon.......................bottle (perfume)
le mouchoir en papier...tissue
le savon ....soap
le tube..........................tube

Phrases

Chez le médecin *At the doctor's*

Qu'est-ce qui ne va pas? *What is the matter?*

Je ne me sens pas bien *I don't feel well*

Pouvez-vous me donner un analgésique? *Can you give me something for the pain?*

Voici une ordonnance pour des comprimés *Here is a prescription for some tablets*

Prenez un cachet quatre fois par jour après chaque repas *Take one four times a day, after meals*

Chez le dentiste *At the dentist's*
J'ai mal aux dents *I have toothache*

Mon plombage a sauté *I've lost a filling*

A la pharmacie *At the chemist's*

Avez-vous quelque chose contre un rhume? *Have you something for a cold?*

J'ai de la fièvre *I have a temperature*

Avez-vous de la crème après-soleil? *Have you any after-sun cream?*

Je voudrais une bouteille de sirop pour la toux *I would like a bottle of cough mixture*

La pharmacie de garde est ouverte dimanche matin *The duty chemist is open on Sunday morning*

Les parties du corps   Parts of the body

le bras ....arm

la dent.............................tooth

le doigt...........................finger

le dos ....back

l'estomac (m) ....stomach

la gorge..........................throat

la jambe ....leg

la main............................hand

l'oreille (f) ....ear

le pied............................foot

la tête ....head

les yeux (m)..................eyes

la bouche ....mouth

les cheveux (m) ....hair

le cou ....neck

la figure ....face

le front ....forehead

la joue ....cheek

la langue ....tongue

la lèvre ....lip

le menton.......................chin

le nez ....nose

l'œil (m), les yeux ....eye, eyes

les traits (m) ....features

le visage........................face

la cheville ....ankle

le coude ....elbow

la cuisse ....thigh

le doigt du pied.............toe

l'épaule (f) ....shoulder

le genou ....knee

le membre ....limb

l'ongle (m)....................finger nail

l'orteil (m) ....toe

le poignet ....wrist

le poing.........................fist

la poitrine......................chest, bust

le pouce ....thumb

la santé..........................health

les seins (m)..................breasts

la taille ....waist

le ventre ....stomach, tummy

le cerveau......................brain

le cœur ....heart

le foie............................liver

le muscle.......................muscle

l'os (m) ....bone

la peau ....skin

le sang...........................blood

la voix ....voice

Qu'est-ce qui ne va pas?
                    What's the matter?

allergique à ....allergic to

antiseptique...................antiseptic

asthmatique...................asthmatic

certain ....certain, sure

diabétique ....diabetic

enrhumé ....suffering from a cold

malade ill

souffrant ....unwell

aigu.............................acute, sharp
efficace........................effective
enflé...........................swollen
fiévreux ....feverish
fragile ....delicate
handicapé ....handicapped
sûr..............................certain
surprenant....................surprising
aïe!.............................ouch! ow!

avaler...........................to swallow
brûler...........................to burn
se brûler* la main.........to burn one's hand
se casser* le bras..........to break one's arm
se couper* le doigt.......to cut one's finger
exister...........................to exist
faire mal *irreg* ....to hurt
se fouler* la cheville ....to sprain one's ankle

Un accident   An accident

l'accident de voiture (m).. car accident
l'appel d'urgence (m)...emergency phone call
le carambolage ....pile-up
la collision....................collision
le dommage..................damage
la fumée.......................smoke
l'incident (m) ....incident
les premiers secours (m) .. first aid
le signal ....sign, signal
le verglas ....black ice

l'ambulance (f).............ambulance
l'autobus (m)................bus
le camion.....................lorry
le car............................coach
le casque......................helmet
la moto ....motorbike
le SAMU ....mobile emergency unit
le véhicule ....vehicle
le vélo..........................bike
la voiture ....car

l'adresse (f) ....address
l'alcootest (m) ....breath test
l'assurance (f)...............insurance
le commissariat ....police station
le constat ....statement
le consulat ....consulate
la gendarmerie..............police station
le nombre.....................number
le numéro d'immatricuation
................................registration number
le permis ....licence, permit
la permission ....permission
la police ....police
Police-secours ....police rescue service
le poste de police..........police station

la blessure....................injury
le cri.............................shout
l'excuse (f) ....excuse
la faute.........................fault
la priorité ....priority
le problème...................problem
le risque ....risk
la sécurité ....safety, security
le sens..........................direction

l'aide (f).......................help
la chance......................luck, opportunity
le courage ....courage
le danger......................danger
le hasard ....chance
la malchance................bad luck

Les gens   People

l'agent de police (m) ....policeman
l'ambulancier (m).........ambulance driver
l'automobiliste (m).......car driver
le, la cycliste................cyclist
le docteur.....................doctor
l'infirmier (m), l'infirmière (f)...nurse
le, la motocycliste ....motorcyclist
le passant ....passer-by

le piéton, la piétonne ....pedestrian
le, la responsable ....the guilty person
le sapeur-pompier.........fireman
le témoin.....................witness

C'est grave?	**Is it serious?**

blessé...........................injured
commotionné...............in shock
courageux ....brave
effrayé ....frightened
effroyable ....dreadful
épouvantable ....horrifying
épuisé ....exhausted
essoufflé ....out of breath
grièvement blessé........seriously injured
immobile ....immobile
mort ....dead
nombreux ....numerous
sans connaissance........unconscious

avec soin......................carefully
immatriculé ....registered (car)
lent..............................slow
rapide...........................fast
serré ....congested
par chance ....by chance
par conséquent.............consequently
par terre ....on the ground
suite à ....following, because
                                        of

Exclamations	**Exclamations**

Attention! ....Look out!
Au feu!.........................Fire!
Au secours!...................Help!
D'accord!......................OK, Agreed!
Hélas! ....Alas!
Mon Dieu! ....My goodness!
Pardon! ....Sorry!
Tiens!...........................Oh!
Zut! ....Blow! Blast!

appuyer † ....to lean, push
avoir lieu *irreg*..............to take place
blesser..........................to injure
se blesser* ....to get injured
cogner ....to knock, bump
dépasser ....to overtake
doubler.........................to overtake
écraser..........................to run over
s'évanouir* ....to faint
faire attention *irreg*.......to pay attention
se faire* mal *irreg* ....to hurt oneself
se heurter* contre ....to crash into
klaxonner.....................to sound the horn
percuter........................to crash into (wall)
pleurer..........................to cry (weep)
pousser un cri ....to shout, scream
renverser ....to knock over
secouer.........................to shake
secourir *irreg*................to help
soulever † ....to raise, lift up

Phrases

Il y a eu un accident *There has been an accident*

Où/Quand cela s'est-il passé? *Where/When did it happen?*

L'accident a eu lieu au carrefour *The accident happened at the crossroads*

Il faut téléphoner à la police/pour une ambulance *We must phone the police/for an ambulance*

Composez le 17 *Dial 17 (Police, Ambulance)*

Composez le 18 *Dial 18 (Fire)*

Ma voiture est en panne
My car has broken down

la panne	breakdown
le dépannage	breakdown service
la batterie	battery
le bruit	noise
la clé de voiture	car key
la crevaison	puncture
le frein	brake
l'huile (f)	oil
la marque	make
le moteur	engine
le pare-brise	windscreen
le phare	headlight
le pneu	tyre
la portière	door
le radiateur	radiator
le réservoir	tank
l'accélérateur (m)	accelerator
l'arrière (m)	back
l'avant (m)	front
la banquette	back seat (car)
la ceinture de sécurité	seat belt
le coffre	boot
l'embrayage (m)	clutch
les feux arrière (m)	rear lights
le klaxon	horn
la pièce de rechange	spare part
le pot d'échappement	exhaust pipe
la roue (de secours)	(spare) wheel
le siège	seat
la vitre	window
le volant	steering wheel

s'arrêter* net	to stop dead
cesser (de)	to stop
courir *irreg*	to run
crever †	to burst (tyre)
crier	to shout
déclarer	to declare
démarrer	to start (engine)
dépanner	to fix, repair
se dépêcher*	to hurry
fonctionner	to work
téléphoner à	to phone
tomber* en panne	to break down

A la station-service
At the petrol station

le carburant	fuel
l'essence (f)	petrol
l'essence sans plomb (f)	unleaded petrol
le gasoil, gazole	diesel
l'huile (f)	oil
le super	leaded petrol
le super sans plomb	super unleaded
la boisson	drink
la carte	map
l'eau (f)	water
l'air (m)	air
le litre	litre
le niveau	level
la pression des pneus	tyre pressure
faire le plein *irreg*	to fill up
vérifier les pneus	to check the tyres

Phrases

Je suis tombé(e) en panne *My car has broken down*

C'est quelle marque de voiture? *What make of car is it?*

Quel est votre numéro d'immatriculation? *What is your registration number?*

Où êtes-vous exactement? *Where are you exactly?*

Je suis sur la RN 43 à cinq kilomètres de Calais *I'm on the RN 43, 5 kilometres from Calais*

WORK AND LIFESTYLE

3A   HOME LIFE

Les repas — Meals

le casse-croûte	snack
le déjeuner	lunch, midday meal
le dîner	dinner, evening meal
le goûter	afternoon snack
le petit déjeuner	breakfast
le pique-nique	picnic

For **foods** see page 50
For **times** see page 85
For **days of the week** see page 86

On donne un coup de main — Helping at home

balayer †	to sweep
débarrasser la table	to clear the table
donner à manger au chat	to feed the cat
laver la voiture	to wash the car

mettre la table *irreg*	to set the table
mettre le couvert	to set the table
passer l'aspirateur	to vacuum
préparer les repas	to get meals ready
promener † le chien	to walk the dog
ramasser	to pick up
ranger † ma chambre	to tidy my room
repasser	to iron

faire des courses *irreg*	to do the shopping
faire du baby-sitting	to baby sit
faire du bricolage	to do odd jobs, DIY
faire du jardinage	to garden
faire du ménage	to do housework
faire du repassage	to iron clothes
faire la cuisine	to do the cooking
faire la lessive	to do the washing
faire la vaisselle	to wash up
faire mon lit	to make my bed

Phrases

Je peux vous donner un coup de main? *Would you like a hand?*

Est-ce que tu peux remplir le lave-vaisselle? *Can you load the dishwasher?*

Chez nous on dîne à huit heures *We have our evening meal at 8*

On fête — We celebrate

Bon anniversaire!	Happy Birthday!
Bonne année!	Happy New Year!
Bonne chance!	Good luck!
Bonne journée!	Have a nice day!
Félicitations!	Congratulations!
Joyeuses Pâques!	Happy Easter!
Joyeux Noël!	Happy Christmas!
Meilleurs Vœux	Best Wishes

le bal	ball
la boum	party
la cérémonie religieuse	church ceremony

les festivités	festivities
la fête des Mères	Mother's Day
les fiançailles	engagement
le jour de congé	day off
la messe	Mass
le nouvel an	New Year
le cinq novembre	Guy Fawkes Night

le Diwali	Divali
la Hanoukka	Chanukah
le jour de l'An	New Year's Day
le jour de Noël	Christmas Day
le jour de Pâques	Easter Day
le jour des Rois	Twelfth Night

le Mardi gras .... Shrove Tuesday
le nouvel an juif .... Rosh Hashana
la Pâque juive .... Passover
la Pentecôte .... Whitsun
le Ramadan .... Ramadan
le Réveillon .... Christmas Eve
le Sabbat .... Sabbath
la Saint-Sylvestre .... New Year's Eve
la Toussaint .... All Saints (Nov 1st)
la veille de Noël .... Christmas Eve
le vendredi saint .... Good Friday
le premier mai .... May 1st
le quatorze juillet .... Bastille Day

For other **celebrations** see page 66

Les généralités   General
le cadeau .... present
la carte .... card
le défilé .... procession
la fête d'anniversaire .... birthday party
le feu de joie (m) .... bonfire
les feux d'artifice (m) ... fireworks
les œufs en chocolat (m) .. Easter eggs
le Père Noël .... Father Christmas
le sapin de Noël .... Christmas tree

Les gens   People
le chrétien, la chrétienne .. Christian
le Dieu .... God
l'hindou (m), l'hindoue (f) .... Hindu
le juif, la juive .... Jew
le musulman, la musulmane ..... Muslim
le Pape .... Pope
le, la sikh .... Sikh

C'était comment?   What was it like?
familial .... of the family
religieux, religieuse ...... religious

aller* au restaurant *irreg*. to go to a restaurant
aller* voir des amis ...... to visit friends
célébrer † .... to celebrate
écouter de la musique ... to listen to music
féliciter .... to congratulate
fêter .... to celebrate
offrir des cadeaux *irreg* ... to give presents
organiser .... to organise
recevoir des amis *irreg*.... to have friends round

For **opinions** see page 76

3B   HEALTHY LIFESTYLE

Vivre sainement
A healthy lifestyle

l'aliment bio (m) ....organic food
les aliments naturels (m) .. organic foods
les fruits (m) ....fruit
la graisse......................fat
les légumes (m) ....vegetables
la matière grasse...........fat content
la nourriture.................food
les produits laitiers (m) .....dairy products
la restauration rapide....fast food industry
lês sucreries (f) ....sweet things
les vitamines (f)...........vitamins

l'aérobic (m).................aerobics
l'entrainement quotidien (m) ..daily work-out
la forme ....fitness
l'hygiène (f) ....hygiene
la santé........................health
le sommeil ....sleep

bon pour la santé ....healthy
en bonne santé..............in good health
en forme ....fit
indispensable...............essential, vital
sain ....healthy
souple ....athletic, supple
végétarien, végétarienne... vegetarian

s'entraîner*...................to train
être en pleine forme *irreg.* to be very fit
éviter............................to avoid
s'exercer* † ....to exercise
garder la ligne...............to keep slim
s'habituer* à.................to get used to
se mettre* au régime *irreg* . to go on a diet
se reposer*...................to rest
respecter ....to have respect for

For **opinions** see page 76

On achète à manger   Buying food
A la boulangerie   At the baker's

la baguette ....stick of bread
le croissant...................croissant
le gâteau.......................cake
le pain ....bread
la pâtisserie..................pastries, cakes
la tarte ....tart

A l'épicerie   At the grocer's

le beurre.......................butter
le biscuit ....biscuit
le bonbon ....sweet
le café ....coffee
les céreales (f)..............cereals
les chips (m) ....crisps
le chocolat ....chocolate
les corn-flakes (m)........cornflakes
le fromage....................cheese
la glace.........................ice cream
l'œuf (m) ....egg
le riz.............................rice
la soupe........................soup
le sucre.........................sugar
le yaourt.......................yoghurt

la confiture...................jam
la confiture d'orange ....marmalade
les conserves (f)...........tinned food
la crème ....cream
la farine.......................flour
l'huile (d'olive) (f) ....(olive) oil
la margarine.................margarine
le miel..........................honey
la moutarde ....mustard
les pâtes (f) ....pasta
le poivre.......................pepper
le sel.............................salt
les spaghettis (m)..........spaghetti
le vinaigre....................vinegar

Des boissons   **Drinks**
le coca-cola® .... coca cola®
le jus de fruit .... fruit juice
le lait............................ milk
le lait complet............... full milk
le lait demi-écrémé....... semi-skimmed milk
le lait écrémé .... skimmed milk
la limonade.................. lemonade
l'orangina® (m) .... orangina®
le thé............................ tea
la tisane .... herbal tea

l'alcool (m).................. alcohol
le vin............................ wine
pétillant .... sparkling (wine)

La viande   **Meat**
le bifteck...................... steak
le bœuf .... beef
le canard..................... duck
la côtelette .... chop
le hamburger .... hamburger
le jambon..................... ham
le porc.......................... pork
le poulet....................... chicken
le rôti .... joint, roast meat
la saucisse .... sausage
le steak .... steak
la viande hachée.......... mince

l'agneau (m) .... lamb
la dinde........................ turkey
les escargots (m) .... snails
le gigot .... leg of lamb
la merguez................... spicy sausage
le veau .... veal
la viande de cheval....... horsemeat
la volaille..................... poultry

Des légumes   **Vegetables**
la carotte..................... carrot
le champignon.............. mushroom
le haricot (vert)............. (French) bean

les petits pois (m) .... peas
la pomme de terre........ potato
la salade...................... lettuce, green salad
la tomate .... tomato

le chou .... cabbage
le chou de Bruxelles..... Brussels sprout
le chou-fleur .... cauliflower
le concombre .... cucumber
le cornichon................. gherkin
la laitue....................... lettuce
l'oignon (m) .... onion

l'ail (m) .... garlic
l'artichaut (m) .... artichoke
l'aubergine (f) .... aubergine
l'avocat (m) .... avocado
la betterave .... beetroot
les brocolis (m)............. broccoli
la courgette .... courgette
les épinards (m)........... spinach
le maïs .... sweetcorn
le poireau..................... leek
le poivron rouge/vert....red/green pepper
le radis .... radish

Des fruits   **Fruit**
la banane .... banana
la fraise....................... strawberry
la framboise................. raspberry
l'orange (f) .... orange
la pêche .... peach
la pomme..................... apple
le raisin....................... grape

l'ananas (m)................. pineapple
la cerise .... cherry
le citron .... lemon
le melon....................... melon
le pamplemousse.......... grapefruit
la poire........................ pear
la prune....................... plum

l'abricot (m) ....apricot

le cassis ....blackcurrant

le kiwi............................kiwi

la mandarine ....tangerine

la mûre...........................blackberry

la nectarine ....nectarine

la noix ....walnut, nut

la pastèque...................water melon

le pruneau ....prune

Des poissons   Fish

l'aiglefin (m) ....haddock

les bâtonnets de poisson (m) ... fish fingers

le hareng ....herring

la morue.........................cod

la sardine ....sardine

le saumon (fumé) ....(smoked) salmon

la sole ....sole

le thon............................tuna

la truite ....trout

Les fruits de mer (m) Sea food

le crabe ....crab

la crevette ....shrimp

le homard......................lobster

les huîtres (f) ....oysters

les moules (f)................mussels

C'est comment?   What is it like?

délicieux ....delicious

maison (fait à la maison).. home-made

biologique......................organic (vegetables)

de la région...................local

naturel............................organic

amer...............................bitter

épicé ....spicy

piquant...........................savoury, spicy

salé ....savoury, salty

sucré ....sweet

à point...........................medium (meat)

bien cuit ....well cooked

bleu ....very rare (meat)

cru..................................raw, uncooked

farci................................stuffed

haché..............................minced

râpé ....grated

saignant.........................rare (meat)

Comment préparer cela?
How do you make that?

au gratin.......................baked with cheese

beurré (bien) ....(well) buttered

bouilli ....boiled

en civet ....stewed

fariné.............................dipped in flour

à feu doux ....on a low heat

à fond.............................thoroughly

à four moyen.................in a moderate oven

frit ....fried

grillé ....grilled, toasted

rôti ....roast

l'ail (m)..........................garlic

la ciboulette ....chives

les épices (f) ....spices

le persil ....parsley

le poivre.........................pepper

le sel...............................salt

le basilic.........................basil

la cannelle.....................cinnamon

la coriande ....coriander

l'estragon (m) ....tarragon

le gingembre ....ginger

la marjolaine.................marjoram

la noix de muscade ....nutmeg

le romarin ....rosemary

le safran ....saffron

le thym...........................thyme

battre .... to beat
couper............................ to cut
couvrir *irreg* .... to cover
éplucher......................... to peel
mélanger † .... to mix
préparer .... to prepare
rouler .... to roll
sucrer............................. to sweeten
verser............................. to pour
vider .... to empty

assaisonner .... to season
découper........................ to cut up
égoutter .... to drain
faire bouillir *irreg* .... to bring to the boil
faire cuire .... to cook
faire revenir.................. to brown, fry gently
parfumer........................ to flavour

une cuillerée à café ...... a teaspoonful
une cuillerée à soupe.... a tablespoonful
une pincée de … .... a pinch of …

Ça se vend comment?
Weights and measures
la boîte......................... box, tin
la bouteille.................... bottle
le carton........................ carton, cardboard box
le paquet .... packet
la pièce .... item, piece
le pot............................. jar, pot
le tube........................... tube

cent grammes de........... 100 grams of
un demi-litre de .... half a litre of
le gramme..................... gram
le kilo............................ kilo
le litre .... litre
la livre .... 454 g, 1lb

la douzaine .... dozen
la moitié........................ half
le morceau .... piece
la quantité .... quantity
la rondelle..................... slice (round)
la tranche .... slice

For **opinions** see page 76

3C   PART-TIME JOBS, WORK EXPERIENCE

On téléphone   Phoning

A l'appareil	It's me (on phone)
Attendez la tonalité	Wait for dialling code
Introduisez la télécarte .	Insert phone card
Ne quittez pas	Hold the line
en dérangement	out of order
occupé	busy, engaged

la cabine téléphonique..	call box
l'écouteur (m)...............	handset
le minitel®	home terminal of France Télécom®
le récepteur	receiver
le répondeur..................	answering machine
la télécarte	phonecard
la télécopieuse	fax machine
le (téléphone) portable .	mobile (phone)
le téléphone public	payphone

l'annuaire (m)..............	phone book
le chiffre	figure, number
le coup de téléphone.....	phone call
le courrier électronique	e-mail
le faux numéro	wrong number
l'indicatif (m)	code
le mel	e-mail

le numéro de fax	fax number
la pièce	coin
le service de renseignements	directory enquiries
le tarif	rate, charge
la tonalité	dialling tone

le correspondant	caller
le, la standardiste	operator

appeler †	to call
causer...........................	to chat
composer le numéro	to dial the number
décrocher le combiné ...	to lift the handset
laisser un message	to leave a message
raccrocher	to hang up
rappeler †	to call back
sonner	to ring (of phone)
télécopier	to fax
téléphoner	to phone

For **times** see page 85
For **duration of time** see page 86
For **transport** see page 26
For **professions** see page 4

Phrases

Je voudrais parler avec M Durand *I would like to speak to M Durand*

Je vous retéléphone vers quelle heure? *What time shall I ring back?*

Je retéléphonerai vers midi *I'll ring back at midday*

Est-ce que je peux laisser un message? *May I leave a message?*

Est-ce que je peux laisser mon numéro de téléphone? *May I leave my phone number?*

Les petits boulots du samedi
Saturday jobs

le baby-sitting...............	baby sitting
l'emploi temporaire (m) ...	temporary work
le jardinage	gardening
le supermarché	supermarket
le travail.......................	work

le caissier, la caissière ..	till operator
l'employé (m)...............	employee
l'employée (f)...............	employee
l'employeur (m)............	employer
le serveur	waiter

la serveuse .... waitress
le, la stagiaire .... trainee
le vendeur .... sales assistant
la vendeuse .... sales assistant

dépenser .... to spend money
faire des économies *irreg* .. to save up
gagner de l'argent .... to earn money

l'heure .... per hour
par mois .... per month
par semaine .... per week

chercher du travail .... to look for work
faire un stage *irreg* .... to do work experience
lire les petites annonces *irreg*
 .... to read the small ads
livrer .... to deliver
travailler à temps partiel .... part-time work
travailler à plein temps ...... full-time work
travailler au supermarché
 .... to work at the
 supermarket
travailler dans un bureau
 .... to work in an office

le travail à la chaîne ..... assembly line work
le travail de bureau .... a sitting down job
le travail à l'extérieur ... outdoor work
le travail à l'intérieur .... indoor work

dangereux .... dangerous
mal payé .... badly paid
monotone .... boring

acquérir de l'expérience *irreg*
 .... to broaden one's experience
aider les gens .... to help people
avoir beaucoup de contacts humains *irreg*
 .... to meet lots of people
s'enrichir* .... to get rich
être isolé *irreg* .... to be isolated
faire des recherches *irreg* .. to do research
porter un uniforme .... to wear uniform
recevoir des pourboires *irreg* ... to get tips
travailler en plein air .... to work outdoors
travailler pour soi .... to work for oneself
travailler jour et nuit ..... to work day and night
travailler le week-end ... to work weekends
travailler le soir .... to work evenings
utiliser un ordinateur .... to use a computer
voyager † .... to travel

Les avantages, les inconvénients
Advantages and disadvantages

des petits boulots (m) ... jobs with no security
les heures de travail (f) . hours of work

Phrases

Je travaille trois heures tous les samedis matins *I work for three hours every Saturday morning*

Il y a deux mois j'ai fait un stage dans une usine *Two months ago I did work experience in a factory*

Il est difficile de trouver du travail *It's hard to find work*

3D LEISURE

A la télévision   On TV

la chaîne ....channel
le documentaire ....documentary
l'émission (f) ....broadcast
le feuilleton ....serial, soap
les informations (f).......news
l'interview (f) ....interview
le mélo ....soap
la météo ....weather forecast
les publicités (f), (pubs) ....adverts
le reportage (sportif).....(sports) report
le téléjournal................TV news

la causerie.....................talk show
les faits divers (m)........news in brief
le flash ....news flash
le jeu concours ....quiz
le journal télévisé ....TV news
les nouvelles (f)............news
la pièce de théâtre.........play
le programme de variété... variety programme
la série (policière).........(detective) series

l'antenne parabolique (f).. satellite dish
la cassette vidéo ....video cassette
le magnétoscope...........VCR
le son ....sound
la télécommande ....remote control
la télévision cablée ....cable TV
la télévision par satellite... satellite TV

l'acteur (m),.................(film, TV) actor
l'actrice (f)...................(film, TV) actress
l'héroïne (f) ....heroine
le héros ....hero
le téléspectateur............viewer

For **opinions** see page 76

La musique   Music

le jazz...........................jazz
la musique classique.....classical music
la musique pop ....pop music
le rap............................rap
le rock ....rock
en direct ....live (eg radio)

le baladeur ....walkman®
la chaîne stéreo ....stereo system
le disque compact/le CD ...compact disc/CD
le magnétophone ....cassette recorder
la platine laser...............CD player
le chanteur ....singer (male)
la chanteuse ....singer (female)
le groupe ....group

allumer.........................to switch on
apprécier ....to appreciate
enregistrer....................to record
il s'agit de … ....it is about …
interviewer...................to interview
rire *irreg* ....to laugh
zapper ....to channel-hop

For **music** also see page 9

Au cinéma   At the cinema

la matinée ....afternoon performance
la séance ....(film) screening
l'action (f)....................plot
le film ....film
le personnage...............character
la programme...............programme
les sous-titres (m) ....subtitles

l'ouvreuse (f) ....usherette (cinema)
le traître ....villain
la vedette ....filmstar

Qu'est-ce qu'on passe?   What's on?

les actualités (f)............news (at the cinema)
le dessin animé............cartoon
le film à suspense.........thriller
le film comique............comedy film
le film d'amour............love film
le film d'aventures........adventure film
le film de guerre..........war film
le film de science-fiction.. science fiction film
le film d'espionnage.....spy film
le film d'horreur..........horror film
le film policier.............detective film
le western....................Western

doublé..........................dubbed
en version française .....in the French version
en version originale/en VO
....................with the original soundtrack
sous-titré......................sub-titled

Au théâtre   At the theatre

le ballet.........................ballet
la comédie....................comedy
le drame.......................drama
l'entr'acte (m) ....interval (theatre)
l'opéra (m) ....opera
la pièce de théâtre ....play
la représentation ....performance
le rôle ....role
la scène.........................stage (drama)
les spectateurs (m) ....audience
la tragédie.....................tragedy
la troupe de théâtre.......theatre company

le balcon.......................circle
l'orchestre (m)..............stalls

Les gens   People

le comédien ....actor (theatre)
la comédienne ....actress (theatre)
le membre.....................member
la tournée.....................tour (artist)

C'est quand?   When is it?

hebdomadaire ....weekly
mensuel ....monthly
pendant le week-end.....at the weekend
quotidien......................daily
toutes les semaines ....every week

C'est comment?   What is it like?

casse-pieds *inv*..............boring
extra *inv*.......................very good, super
extraordinaire ....extraordinary
favori, favorite.............favourite
impressionant ....impressive
magique........................magic
(pas) mal......................(not) bad
passionnant...................exciting
pénible ....unpleasant, painful
préféré ....favourite
ridicule ....ridiculous
sensass *inv*....................sensational
sensationnel..................sensational

célèbre ....famous
comique........................funny
courant..........................everyday
tragique........................tragic

Si on sortait?   Shall we go out?

Veux-tu venir avec moi?
         Would you like to come with me?
l'invitation (f)...............invitation
la proposition................suggestion
la rencontre...................(chance) meeting
le rendez-vous ....meeting

For **times** see page 85
For **days of the week** see page 86

On accepte   Accepting

avec plaisir ....with pleasure
bien sûr........................of course
bon...............................good
Ça dépend.....................It depends

certainement ....certainly
C'est gentil ....That's nice of you
d'accord.......................OK
entendu ....OK, agreed
Je veux bien.................I'd love to
merci...........................thank you
ravi ....delighted
volontiers.....................gladly

On refuse   Refusing

C'est impossible, parce que ...
    .... It's impossible, because …
Désolé, mais …. ....Sorry, but ...
Je regrette, mais ... .I'm sorry, but ...
Je ne peux pas ....I can't
Je ne suis pas libre........I'm not free
malheureusement ....unfortunately
hésiter ....to hesitate

Où va-t-on?   Where shall we go?

la boîte (de nuit) ....night club
la boum........................party (celebration)
le café ....café
le centre de loisirs ....leisure centre
le centre sportif.............sports centre
le cinéma ....cinema
la discothèque...............disco
les magasins (m)...........shops
le match ....match
le parc ....park
la patinoire....................ice rink
la piscine ....swimming pool
le restaurant ....restaurant
la surprise-partie...........party
le théâtre ....theatre

On se revoit où?

**   Where shall we meet?**

à l'arrêt d'autobus ....at the bus stop
dans le café..................in the café
devant le cinéma...........outside the cinema
à la gare ....at the station
dans le restaurant.........in the restaurant

accompagner.................to go with
aller* voir *irreg* ....to go and see
avoir lieu *irreg*..............to take place
décider ....to decide
il faut ....we must, you have to
prendre rendez-vous *irreg*
    ....to arrange to meet
proposer.......................to suggest
regretter ....to be sorry
se voir* *irreg* ....to meet

On achète des billets   Buying tickets

le billet.........................ticket
l'entrée (f).....................entrance (cost)
la place.........................seat
le prix...........................cost, price
la réduction ....reduction
le tarif ....cost
le tarif étudiant ....student rate
le tarif réduit ....reduced rate
la loterie.......................lottery
supplémentaire ....additional, further

l'adulte (m)(f) ....adult
l'enfant (m)(f)...............child
l'étudiant (m), l'étudiante (f).... student
le groupe.......................group

Les heures d'ouverture (f)   Opening times

à partir de.....................from
jusqu'à ....until
la demi-heure................half an hour
l'heure (f)......................an hour, one o'clock
le jour férié ....bank holiday
l'ouverture (f) ....opening

fermé............................closed
ouvert...........................open
ouvert tous les jours......open 7 days a week
ouvert 24/24 7/7 ....open 24 hours
de 9h à midi ....from 9 till 12

On décrit   Describing

Le match   **The match**

le but.............................goal
le commencement .... start
le début..........................start
la défaite.......................defeat
le match nul..................draw
la victoire ....win

l'arbitre (m)..................referee
beaucoup de monde .....lots of people
l'équipe (f) ....team
la foule ....crowd
le gardien de but...........goalkeeper
le joueur ....player
le spectateur ....spectator

déloyal..........................unfair
loyal...............................fair
passionnant...................exciting

battre ....to beat
gagner...........................to win
participer à ....to take part in
perdre ....to lose

For **sport** see page 7

On lit   Reading

l'article (m) ....article
l'article de fond (m) .....feature
le commencement ....beginning
la fin ....end
le héro...........................hero
l'héroïne (f) ....heroine
l'illustré (m) ....glossy magazine
l'intrigue (f)..................plot
le journal ....newspaper
le livre ....book
la page ....page
le rôle............................role
le roman.......................novel
le thème ....theme

une espèce de ....a sort of
une impression ....impression
un machin.....................a thingummyjig
une sorte de ....a sort of
un truc ....a whatsit
un type...........................type, fellow

Il s'agit de …...................It's about …
souhaiter.......................to wish
suggérer †.....................to suggest

For **opinions** see page 76

3E SHOPPING

Les généralités   **General**
la boutique...................shop
le centre commercial ....shopping centre
le centre-ville...............town centre
les courses (f) ....shopping
le magasin ....shop

Les gens   **People**
le caissier.....................cashier
la caissière ....cashier
le client........................customer
le commerçant ....shopkeeper
le gérant.......................manager
le marchand ....trader
le vendeur....................sales assistant
la vendeuse ....sales assistant

Les magasins   **Shops**
la boucherie ....butcher's shop
la boulangerie ....baker's shop
la boutique ....small shop
la charcuterie ....pork butcher's,
                                   delicatessen
le coiffeur ....hairdresser's salon
la confiserie ....sweet shop
la crémerie...................dairy produce shop
l'épicerie (f)..................grocer's shop
le grand magasin ....department store
le kiosque à journaux ...news stand
la pâtisserie..................cake shop
la pharmacie ....chemist's shop
le salon de coiffure ....hairdresser's
le supermarché ....supermarket

la bijouterie ....jeweller's shop
l'hypermarché (m)........hypermarket
la librairie ....bookshop
le magasin de vêtements ...clothes shop
le marchand de fruits.........fruit seller
le marchand de légumes ....greengrocer
le marché ....market

l'agence de voyages (f) ...... travel agency
l'alimentation générale (f).. convenience store
la grande surface...........hypermarket
le nettoyage à sec..........dry-cleaning
l'opticien (m)...............optician
la papeterie ....stationer's shop
la parfumerie ....perfume shop
le photographe ....photographer's
la poissonnerie.............fish shop
la quincaillerie ....ironmonger's shop
le tabac (bureau de) ......tobacconist's shop

Au magasin   **In the shop**
le dernier étage ....top floor
l'entrée principale (f)....main entrance
l'étage (m) ....floor
le rez-de-chaussée ....ground floor
le sous-sol ....basement

l'ascenseur (m) ....lift
le chariot......................trolley
le comptoir...................counter
l'escalier roulant (m) ....escalator
le produit ....product
les provisions (f)..........groceries
le rayon ....shelf, department
la vitrine......................shop window

l'achat (m) ....purchase
l'article (m)..................article
la hausse ....rise (price)
la liste ....list
la marque ....make, brand
le panier ....basket
le prix..........................price
la qualité ....quality
le reçu ....receipt

Des panneaux	Signs, Notices
à vendre	for sale
défense de fumer	no smoking
en vente ici	on sale here
entrée (f)	entrance
entrée libre (f)	browsers welcome
heures d'ouverture (f)	opening hours
libre service	self-service
poussez	push
prix chocs (m)	fantastic prices
(en) promo(tion)	on special offer
soldes (m pl)	sale
sortie (de secours) (f)	(emergency) exit
tirez	pull

15% de rabais	15% reduction
occasion	second-hand
fermeture annuelle (f)	annual holiday
incassable	unbreakable
payez à la caisse	pay at the cash desk
prière de ne pas toucher	please do not touch
prix réduits (m)	reductions

On achète	Buying things
le baladeur	personal stereo
les baskets (f)	trainers
le billet	ticket
le cadeau	present
la cassette	cassette
le CD	CD
le jeu vidéo	video-game
l'ordinateur (m)	computer
le portable	mobile (phone)
la revue	magazine
les vêtements (m)	clothes
le VTT	mountain bike

la dépense	spending
le manque	lack of
les vacances (f)	holidays

On achète des vêtements	
	Buying clothes
le blouson	jacket
le chapeau	hat
la chemise	shirt
le chemisier	blouse
la cravate	tie
le jean	jeans
le jogging	tracksuit
la jupe	skirt
le maillot de bain	swimsuit
le manteau	coat
le pantalon	trousers
le pullover	pullover
la robe	dress
le short	shorts
le slip de bain	swimming trunks
le survêtement	tracksuit
le sweat	sweatshirt
le tricot	jumper, sweater
le T-shirt	T-shirt
la veste	jacket

les baskets (f)	trainers
la botte	boot
la chaussette	sock
le chausson	slipper
la chaussure	shoe
une paire de …	a pair of …
la pantoufle	slipper
la sandale	sandal
le soulier	shoe
le talon	heel

la chemise de nuit	nightdress
le collant	tights
le pyjama	pyjamas
la robe de chambre	dressing gown
le slip	underpants
les sous-vêtements (m)	underclothes
le soutien-gorge	bra

61

le bikini	bikini	le mascara	mascara
la casquette	cap	l'ombre à paupières (f)	eye shadow
la ceinture	belt	le parfum	perfume
la culotte	pants, knickers	le rouge à lèvres	lipstick
le gant	glove	le vernis à ongles	nail varnish
l'imper(méable) (m)	raincoat	se maquiller*	to put on make-up

le complet	suit (man)	**Généralités**	**General**
le corsage	blouse	le mannequin	model, dummy
le costume	suit (man)	les mensurations (f)	measurements
l'écharpe (f)	scarf	la mode	fashion
le foulard	scarf	le style	style
le gilet	waistcoat	la taille	size (clothes)
le tablier	apron	mesurer	to measure
le tailleur	suit (woman)	réduire	to reduce

la bague	ring
le bijou	jewel
les boucles d'oreilles (f)	earrings
le bouton	button
le col	collar
le collier	necklace
la fermeture éclair®	zip fastener
la manche	sleeve
la montre	watch
le mouchoir (en papier)	(paper) handkerchief
le parapluie	umbrella
la poche	pocket
le sac	bag

C'est quelle taille?	**What size is it?**
Les vêtements	**Clothes**
petit (1)	small
moyen (2)	medium
grand (3)	large
taille 40	size 12

C'est quelle pointure?	**What size is it?**
Les chaussures	**Shoes**
pointure 38	size 5
pointure 42	size 8

C'est pour qui?	**Who is it for?**
C'est pour moi	It's for me
C'est pour offrir	It's for a present

C'est …	**It's made of …**
en argent	silver
en coton	cotton
en cuir	leather
en laine	wool
en métal	metal
en or	gold
en plastique	plastic
en soie	silk

C'est comment?	**What's it like?**
clair	light (colour)
foncé	dark (colour)
rayé	striped
uni	plain coloured

For **colours** see page 79

Le maquillage	**Make-up**
le démaquillant	make-up remover

bon marché	cheap
différent	different
d'occasion	second hand

entier ....whole, complete
gratuit ....free
pareil ....similar, the same
à la mode ....fashionable
démodé ....old fashioned
quelque chose de moins cher
.... something cheaper
trop cher ....too expensive
trop court.....................too short
trop étroit.....................too tight, too narrow
trop grand.....................too big
trop large ....too wide

On paie   **Paying**
l'argent (m) ....money
le billet (de 20 euros) ...(20 euro) note
la caisse ....cash desk
la carte bleue ....French credit card
la carte de credit...........credit card
la carte Visa® .... Visa® card
le cent...........................cent
l'euro (m), € ....euro, €
le fric ....money (slang)
la monnaie....................change
le paiement...................payment
la pièce (d'argent) ....coin
le portefeuille ....,wallet
le porte-monnaie ....purse
le prix ....price
la quittance ....receipt
le reçu...........................receipt
le remboursement........refund
à l'unité ....per item

généreux.......................generous
pauvre...........................poor, badly off
riche..............................rich

Des verbes utiles   **Useful verbs**
apporter ....to bring
avoir besoin de *irreg*....to need
dépenser ....to spend

dépenser trop d'argent
.... to spend too much money
diviser...........................to divide
emballer........................to wrap up
être sans le sou *irreg* ....to be broke
exposer ....to display
faire un paquet-cadeau *irreg* ...to gift wrap
manquer d'argent ....to be short of money

peser † ....to weigh
plaire *irreg*....................to please
plier ....to fold
promettre *irreg* ....to promise
proposer.........................to suggest
prouver ....to prove
revenir* *irreg* ....to come back

ajouter...........................to add
calculer ....to add up
devoir *irreg* ....to owe
être remboursé *irreg*.....to get money back
garder le reçu................to keep the receipt
régler † ....to settle, pay up
suffire *irreg* ....to be enough
vérifier..........................to check

Qu'est-ce qui ne marche pas?
What is broken/not working?

l'appareil-photo (m) .....camera
la lampe électrique ....torch
le lave-linge.................washing machine
le lave-vaisselle ....dishwasher
la montre ....watch
l'ordinateur (m)............computer
la platine-laser ....CD player
la réparation.................repair

Des problèmes   **Problems**
la fuite ....leak
l'inondation (f).............flood
la pile...........................battery (torch, etc)
la réclamation...............complaint

la tache	stain	casser	to break
le trou	hole	critiquer	to criticise
		déchirer	to tear, rip
cassé	broken	faire nettoyer *irreg*	to have cleaned
coincé	jammed, stuck	faire réparer *irreg*	to have mended
crevé	punctured	fonctionner	to work
déchiré	torn	fournir	to supply
deçu	disappointed	garantir	to guarantee
en panne	broken, not working	laisser tomber	to drop
pratique	practical	se plaindre* *irreg*	to complain
prêt	ready	raccommoder	to mend (clothes)
rétréci	shrunk	remplacer †	to replace
satisfait	satisfied	réparer	to repair
solide	strong, solid	reprendre *irreg*	to take back
usé	worn out, exhausted	rétrécir	to shrink
		user	to wear out

Phrases

Avez-vous une chemise bleue s'il vous plaît? *Have you got a blue shirt, please?*

Ce pullover coûte combien, s'il vous plaît? *How much is this pullover, please?*

Je regrette, je n'en ai plus *I'm sorry I haven't any left*

Je prendrai ces chaussettes. J'aime la couleur *I'll take these socks. I like the colour*

Je vous dois combien? *How much do I owe you?*

Je préfère les grands magasins. C'est moins cher
   I prefer department stores. The prices are lower

Voulez-vous me rembourser, s'il vous plaît? *Can I have my money back please?*

THE YOUNG PERSON IN SOCIETY

4A CHARACTER AND PERSONAL RELATIONSHIPS

Le caractère   Character

le bonheur....................happiness
le compliment..............compliment
le comportement...........behaviour
la différence ....difference
l'esprit (m) ....mind, spirit
la façon (de parler).......manner (of speaking)
l'habitude (f) ....habit
l'humeur (f).................mood
l'humour (m)...............humour
l'intérêt (m) ....interest
la manière...................way, manner
le sentiment ....feeling

le charme.....................charm
la confiance ....confidence
la curiosité...................curiosity
la douceur....................gentleness
la fierté ....pride
la générosité ....generosity
l'imagination (f)...........imagination
l'intelligence (f) ....intelligence
la plaisanterie ....joke
le sens de l'humour ......sense of humour
la sympathie ....liking, friendship

l'arrogance (f) ....arrogance
la colère......................anger
le défaut......................fault
l'égoïsme (m)..............selfishness
la honte........................shame
la jalousie ....jealousy
la paresse.....................laziness
le souci ....care, worry

l'amitié (f) ....friendship
l'amour (m) ....love
l'envie (f) ....desire
l'espoir (m)..................hope

l'optimiste (m)(f)..........optimist
le pessimiste ....pessimist

actif...............................active
aimable ....friendly
charmant......................charming
drôle ....funny
habile..........................clever, skilful
honnête ....honest
joyeux..........................happy, cheerful
poli ....polite
positif ....positive
raisonnable ....sensible

bête ....stupid
cruel.............................cruel
dégoûtant.....................disgusting
désagréable..................unpleasant
égoïste ....selfish
embêtant ....annoying
fâché ....angry
furieux ....angry, furious
idiot ....idiotic
impatient......................impatient
impoli ....impolite
négatif..........................negative
nerveux ....nervous

curieux.........................curious
étonnant.......................astonishing
étrange.........................strange
exceptionnel ....exceptional
indépendant ....independent
pauvre..........................poor
silencieux ....silent
sportif..........................sporty, athletic
surpris..........................surprised, amazed

branché ....with it

65

doué	gifted
dynamique	dynamic
équilibré	balanced
fier	proud
bien élevé	well brought up
de bonne humeur	in a good mood
fou, fol, folle	mad
imprudent	careless, foolish
insupportable	unbearable
jaloux	jealous
mécontent	discontented
têtu	obstinate
de mauvaise humeur	in a bad mood
en colère	angry
amoureux (de)	in love (with)
bizarre	odd
déçu	disappointed
encombré	busy, lumbered with
marrant	funny
mignon	cute
romantique	romantic
sensible	sensitive
appartenir à	to belong to
avoir l'air *irreg*	to seem

décrire *irreg*	to describe
distinguer	to distinguish
mériter	to deserve, merit
paraître *irreg*	to appear
peser †	to weigh
reconnaître *irreg*	to recognise
ressembler à	to look like
sembler	to seem
admirer	to admire
avoir peur *irreg*	to be afraid
bavarder	to chatter
se comporter*	to behave
se disputer* avec	to quarrel with
embrasser	to kiss
s'entendre* avec	to get on with
exagérer †	to exaggerate
faire la bise (à) *irreg*	to kiss
faire la connaissance de...	to get to know s.o.
gêner	to embarrass
se méfier* de	to mistrust
se moquer* de	to make fun of
pardonner	to forgive

For **opinions** see page 76
For **family** see page 1

Phrases

Mes parents ne me comprennent pas *My parents don't understand me*
Ils ne supportent pas mes amis *They don't like my friends*

On fête...   We celebrate...

l'anniversaire (m)	birthday
la fête	festival, name day
la naissance	birth
le mariage	marriage
le mariage civil	civil ceremony
les noces (f)	wedding
le repas de réception	reception

appeler †	to call
divorcer † de	to get divorced
épeler †	to spell
épouser	to marry
se marier*	to get married
naître* *irreg*	to be born
nommer	to name
obliger †	to oblige, force

For **celebrations** see page 48

4B   THE ENVIRONMENT

Les ordures ménagères
Domestic waste

la boîte d'acier	steel can
la boîte d'aluminium	aluminium can
les déchets (m)	rubbish
le plastique	plastic
le métal	metal
le papier	paper
le sac en plastique	plastic bag
le verre	glass

chimique	chemical
écologique	ecological
transparent	clear
urbain	urban
vert	green

dépasser	to exceed
détruire *irreg*	to destroy
gaspiller	to waste
produire *irreg*	to produce

Les sources de pollution
Sources of pollution

le carburant	fuel
la centrale électrique	power station
la centrale nucléaire	nuclear power station
la circulation	traffic
les gaz d'échappement (m)	exhaust gases
les industries chimiques (f)	chemical industries
la marée noire	oil on beach
la nappe de pétrole	oil slick
le pesticide	pesticide
le pétrole brut	crude oil
le pétrolier	oil tanker
la pluie acide	acid rain
la raffinerie	oil refinery
l'usine (f)	factory

économique	economical
émotif	emotive
international	international
irréversible	irreversible
nucléaire	nuclear

brûler	to burn, parch
menacer †	to threaten
polluer	to pollute
se répandre*	to spread

For **opinions** see page 76
For **home** see page 12
For **transport** see page 26

Améliorer l'environnement
Improving the environment

le centre de recyclage	recycling centre
le combustible fossile	fossil fuel
les économies d'énergie (f)	energy conservation
l'entretien (m)	maintenance
l'environnement (m)	environment
le recyclage des déchets	recycling waste
les transports en commun (m)	public transport
moins de	less
plus de	more

économiser	to save
limiter les dégats	to limit the damage
s'occuper* de la conservation	to work for conservation
recycler	to recycle
utiliser	to use

La conservation   Conservation

l'augmentation (f)	increase, rise
l'avenir (m)	future
la cause	reason, cause

la conséquence ....consequence
l'effet (m) ....effect
la raison ....reason

l'agriculture biologique (f)...organic farming
l'arbre (m) ....tree
le bois ....wood
le climat........................climate
la couche d'ozone.........ozone layer
l'énergie (f) ....energy
l'engrais chimique (m) .chemical fertiliser
la faune ....wildlife, fauna
les fleurs sauvages (f)...wild flowers
la flore ....flora
les insecticides (m).......insecticide
le monde ....world
la nature ....nature
la terre ....earth
le Tiers Monde ....Third World

For **countryside** see page 18

augmenter....................to increase
se baisser* ....to fall (temperature)
cueillir *irreg* ....to pick
cultiver ....to grow, cultivate
dessécher † ....to dry out
monter* ....to rise (temperature)

Des catastrophes   Disasters

le changement climatique... change in climate
la crise ....crisis
la destruction ....destruction
l'effet de serre (m)........greenhouse effect

l'épidémie (f)................epidemic
la faim..........................hunger
l'incendie (m) ....fire
l'inondation (f) ....flood
la pollution urbaine.......urban pollution
la sécheresse ....drought
le tremblement de terre......earthquake

extrême ....extreme

Les espèces menacées
                              Endangered species
la baleine (bleue) ....(blue) whale
le dauphin ....dolphin
la défense.....................tusk
l'éléphant (m) ....elephant
le fourrage ....fodder
la fourrure ....fur
l'habitat (m)..................habitat
l'ivoire (m) ....ivory
l'orang-outang (m) ....orang-utang
l'ours blanc (m) ....polar bear
le panda géant..............giant panda

blessé ....injured, wounded
en danger ....in danger

mourir* *irreg* ....to die
protéger †......................to conserve, protect
respirer..........................to breathe
sauver ....to save
souffrir *irreg* ....to suffer
tuer................................to kill
vivre *irreg* ....to live

4C EDUCATION

Les études supérieures
Higher education

la cité.............................hall of residence
la faculté de médecine.. medical school
la faculté des lettres......faculty of arts
la faculté des sciences.. faculty of science
la licence......................degree
l'université (f).............. university

La vie scolaire   School life

les adolescents..............teenagers
l'étudiant (m)............... student
l'étudiante (f)............... student
les parents (m).............. parents
les professeurs (m).......teachers

les examens (m)...........examinations
le travail scolaire..........school work
l'uniforme scolaire (m) school uniform

For **school** see page 20

Le choix   Choice

les arts de représentation.. performing arts
le commerce.................commerce
l'informatique (f).........ICT
les langues (f)...............languages
la loi.............................law
la musique....................music
la médecine..................medicine
les sciences (f)..............science

aider.............................to help
améliorer......................to improve
discuter........................to discuss
être fort en *irreg*..........to be good at
être faible en.................to be poor at
gagner de l'argent........to earn money
s'intéresser à*..............to be interested in

permettre *irreg* ....to allow
préférer †.....................to prefer
réviser..........................to revise
sécher les cours † ....to skive off school
trouver ... intéressant ...to find ... interesting

For **school subjects** see page 21
For **professions** see page 4
For **exams and afterwards** see page 24

Un an de libre   A gap year

On peut ... .You can ...
gagner de l'argent.........earn money
perdre l'habitude d'étudier
.... get out of the habit of studying
reprendre les études......pick up one's studies
voyager †.....................travel

La formation   Training

l'apprentissage (m).......apprenticeship
les cours du soir (m).....evening classes
la formation des jeunes
...........................youth training scheme
la formation professionnelle
...........................vocational training
le stage de formation ....training scheme
le stage en entreprise ....work experience

avoir de bonnes références *irreg*
.........................to have good references
obtenir un diplôme *irreg* .. to graduate
préparer un diplôme .....to read for a degree

Les gens   People

l'apprenti (m)...............apprentice
l'apprentie (f)...............apprentice
le candidat...................candidate
le, la stagiaire...............trainee

4D   CAREERS AND FUTURE PLANS

On trouve du travail
Getting a job

le conseil .... piece of advice
le curriculum vitæ .... CV/curriculum vitæ
la date de naissance ...... date of birth
les diplômes (m) .... diploma, degree
les expériences (f) .... experience
la lettre .... letter
le lieu de naissance .... place of birth
le métier .... profession
le nom .... surname
l'offre d'emploi (f) .... job offer
le poste .... post, job
le prénom .... first name
les qualifications professionnelles (f)
.... professional qualifications
la responsabilité .... responsibility
la situation .... situation, job

accuser réception de ..... to acknowledge
                                    receipt of a letter
s'adresser* à .... apply to, contact
agréer .... to accept
conseiller .... to advise
distribuer .... to give, hand out
poser sa candidature ..... to apply for a job
réaliser .... to carry out, realise
recevoir *irreg* .... to receive

Des qualités   Qualities
la bonne santé .... good health
l'intelligence (f) .... intelligence
la patience .... patience
la politesse .... politeness
le sens de l'humour ...... sense of humour

expérimenté .... experienced
honnête .... honest
initié à l'ordinateur .... computer literate

patient .... patient
poli .... polite

professionel .... professional
qualifié .... qualified
travailleur, travailleuse .hard-working

à mi-temps .... part-time
à plein temps .... full-time
à temps partiel .... part-time
bien payé .... well-paid
mal payé .... badly paid
permanent .... permanent
régulier .... regular, steady
salarié .... wage-earning
temporaire .... temporary

Les affaires (f)   Business
la carrière .... career
le changement .... change
le commerce .... trade
la compagnie .... company
l'équipe (f) .... team
l'occasion (f) .... opportunity, occasion
le projet .... plan, project
la tâche .... task

l'ambition (f) .... ambition
l'augmentation (f) .... increase
la concurrence .... competition
les conditions de travail (f)
.... working conditions
la décision .... decision
des emplois sans avenir (m)
.... job without
    prospects
la grève .... strike
l'option (f) .... choice
la possibilité de voyager ... prospect of travel
la promotion .... promotion

les impôts (m) .... taxes
la rémunération .... pay
la retraite .... retirement
le salaire .... salary
la sécurité sociale .... social security
la taxe .... tax

à l'étranger .... abroad
à long terme................. long term
sans travail .... out of work

aider les gens............... to help people
gagner de l'argent .... to earn money
porter un uniforme .... to wear uniform
utiliser un ordinateur .... to use a computer

Les gens   **People**
l'apprenti (m) .... apprentice
l'apprentie (f) .... apprentice
le chômeur.................... unemployed person
la chômeuse.................. unemployed person
le, la collègue .... colleague
le directeur commercial..... sales director
le directeur du marketing .. marketing director
le directeur du personnel... personnel director
la direction .... management
l'employé (m)............... employee
l'employée (f)............... employee
l'employeur (m) .... employer
le patron, la patronne.... boss
le personnel .... staff

arriver* à l'heure .... to arrive on time
arriver* en retard .... to be late
être au chômage *irreg* .... to be unemployed
être bien habillé............ to be well-dressed
être bien organisé .... to be well-organised
envoyer † un email .... to send an e-mail
faxer .... to fax, send a fax

Au bureau   **In the office**
l'agenda (m) .... diary
l'annuaire (m)............... phone book
le courrier .... post, mail
la fiche.......................... form
le formulaire .... form
le numéro de fax........... fax number
le numéro de téléphone .... phone number
l'ordinateur (personnel) (m).. PC, computer
la photocopieuse........... photocopier
le rendez-vous .... appointment
le répondeur.................. answering machine
la réunion..................... meeting
le syndicat .... union
la télécopie .... fax
la télécopieuse .... fax machine

For **professions** see page 4
For **ICT** see page 10
For **opinions** see page 79

4E SOCIAL ISSUES

La publicité — Advertising

l'affiche (f)	notice, poster
l'annonce (f)	advert
le catalogue	catalogue
l'internet (m)	internet
le journal	newspaper
le marketing	marketing
la publicité, la pub	advertising
la radio	radio
la réclame	advert
la revue	magazine
le slogan publicitaire	advertising slogan
la télévision	television

Les petites annonces — Small ads

l'appartement (m)	flat
le gîte	holiday home
la location	hiring, hire
la maison	house
le mariage	marriage
la mort	death
la naissance	birth
le plaisir	pleasure
les prix bas (m)	low prices
les prix intéressants (m)	good value
les produits (m)	products
la récompense	reward
les vacances (f)	holidays
la valeur	value
le vélo	bike
la vente	sale
la voiture	car
le VTT	mountain bike

à louer	for hire
à vendre	for sale
approprié	appropriate, suitable
bon marché	cheap
d'occasion	second hand
domestique	domestic

en promotion	on special offer
en solde	in the sales
moins cher	less expensive
prix à débattre	price negotiable

Les jeunes — Young people

l'adolescent (m)	teenager
l'adolescente (f)	teenager
le copain	friend, mate
la copine	friend, mate
le petit ami	boyfriend
la petite amie	girlfriend

Des problèmes — Problems

l'allocation (f)	allowance, benefit
l'asile (m)	refuge, asylum
le boulot	job
les boutons (m)	spots, zits
le chômage	unemployment
la colle	detention
la difficulté	difficulty
le divorce	divorce
la drogue	drug
l'emploi (m)	work
l'ennui (m)	problem
le licenciement	redundancy
le manque d'argent	lack of money
la mode	fashion
la musique pop	pop music
la peine	sadness, trouble
le racisme	racism
le vandalisme	vandalism
la violence	violence

agacé	annoyed
désavantagé	disadvantaged
doué	gifted
ennuyant	boring
ennuyé	bored
étonné	astonished

gâté.............................spoiled
obligatoire...................compulsory
privilégié.....................privileged
loin de la ville..............a long way out of town
mal informé.................ill-informed

sans abri......................homeless
sans travail..................out of work

aider à la maison..........to help in the house
se coucher* tard...........to go to bed late
se coucher* tôt.............to go to bed early
faire la vaisselle *irreg*..to do the washing up
fréquenter....................to go out with s.o
gagner de l'argent........to earn money
se lever* † tard.............to get up late
ranger † sa chambre.....to tidy one's room

approuver....................to approve of
se battre*.....................to fight
comprendre *irreg*.........to understand
critiquer......................to criticise
se débrouiller*..............to get on with it
décevoir *irreg*..............to deceive
désobéir.......................to disobey
dire la vérité *irreg*........to tell the truth
se disputer*..................to argue
s'ennuyer* †.................to be bored
s'entendre* bien avec...to get on well with
fâcher..........................to annoy
se fâcher*.....................to get angry
s'inquiéter*..................to worry
insulter........................to insult
licencier......................to dismiss
mentir *irreg*.................to lie
permettre *irreg*.............to allow
renvoyer †....................to expel
rigoler.........................to have fun
rougir..........................to blush
soupçonner..................to suspect
se souvenir* de.............to remember

Problèmes de bien-être
Welfare problems

l'alcool (m)...................alcohol
les amphétamines (f)....amphetamines
la drogue......................drug
l'héroïne (f).................heroin (drug)
le tabac........................tobacco

l'alcoolisme (m)...........alcoholism
l'anorexie (f)................anorexia
la boulimie...................bulimia
la dépendence...............addiction (drug)
la grossesse..................pregnancy
l'hypertension (f)..........high blood pressure
l'ivrognerie (f)..............drunkenness (habitual)
le SIDA........................Aids
le stress........................stress
la surdose.....................overdose

le drogué, la droguée....drug addict
le fumeur......................smoker
le renifleur de colle......glue sniffer
le toxico.......................junkie

anorexique...................anorexic
obèse...........................obese
ivre..............................drunk

abîmer..........................to damage (health)
cracher.........................to spit
se droguer*...................to take drugs
essayer † une drogue....to try drugs
fumer...........................to smoke
grossir..........................to put on weight
maigrir.........................to lose weight
protester.......................to protest
ralentir.........................to slow down

La pression ...   **Pressure ...**
des média......................of the media
des pairs........................peer
des parents ....parental
des professeurs ....teacher
du racisme ....racial
de la vie d'aujourd'hui . ... of life today

agité ....upset
énervé ....upset
stressé ....stressed out
tendu.............................tense

être sous pression *irreg* .... to be under pressure
exercer † une pression sur .... to put pressure on

Le crime   Crime

l'agression (f) ....mugging, attack
le cambriolage ....burglary
le cas.............................case
le crime.........................crime
la dispute ....fight, quarrel
le meurtre ....murder
le vol.............................theft

l'agent de police (m) ....policeman
le flic (slang) ....policeman
l'individu (m) ....individual
le juge ....judge
le juge d'instruction ..... examining magistrate
le malfaiteur ....criminal
le prisonnier.................prisoner
le témoin......................witness

l'arme (f) ....weapon
le fusil...........................rifle
le revolver ....revolver

l'amende (f).................fine
la bêtise ....stupid mistake
la découverte ....discovery

le détail ....detail
la dispute ....argument
l'explication (f).............explanation
le motif ....reason, motive
la preuve ....proof
la prison ....prison
le soupçon....................suspicion
le témoignage ....evidence
la vérité ....truth

coupable ....guilty
criminel........................criminal
illégal............................illegal
inadmissible.................inadmissible
inconnu ....unknown
innocent ....innocent
mystérieux ....mysterious

s'approcher* de ....to approach
arrêter ....to stop, arrest
attaquer.......................to attack
cambrioler....................to burgle
commettre *irreg*...........to commit
s'échapper*..................to escape
s'évader* ....to escape
fuire *irreg* ....to flee
saisir ....to seize

constater ....to note
découvrir *irreg*..............to discover
douter...........................to doubt
enfermer ....to lock up
identifier ....to identify
interdire *irreg* ....to forbid
intervenir *irreg* ....to intervene
juger † ....to judge
remarquer ....to notice
surprendre *irreg*...........to surprise, discover
taper sur ....to hit
trembler ....to shake, shiver

74

COUNTRIES, REGIONS, TOWNS

L'Union européenne   The European Union

Country	Meaning	Language	Inhabitant	Adjective
l'Angleterre (f)	England	l'anglais	un(e) Anglais(e)	anglais(e)
l'Ecosse (f)	Scotland	l'anglais	un(e) Ecossais(e)	écossais(e)
l'Irlande du Nord (f)	N Ireland	l'anglais	un(e) Irlandais(e)	irlandais(e)
l'Irlande (l'Eire) (f)	Irish Republic	l'irlandais, l'anglais	un(e) Irlandais(e)	irlandais(e)
le Pays de Galles	Wales	le gallois, l'anglais	un(e) Gallois(e)	gallois(e)
l'Allemagne (f)	Germany	l'allemand	un(e) Allemand(e)	allemand(e)
l'Autriche (f)	Austria	l'allemand	un(e) Autrichien(ne)	autrichien(ne)
la Belgique	Belgium	le français, le flamand	un(e) Belge	belge
le Danemark	Denmark	le danois	un(e) Danois(e)	danois(e)
l'Espagne (f)	Spain	l'espagnol	un(e) Espagnol(e)	espagnol(e)
la Finlande	Finland	le finnois	un(e) Finlandais(e)	finlandais(e)
la France	France	le français	un(e) Français(e)	français(e)
la Grèce	Greece	le grec	un Grec, une Grecque	grec, grecque
l'Italie (f)	Italy	l'italien	un(e) Italien(ne)	italien(ne)
le Luxembourg	Luxembourg	le français, l'allemand	un(e) Luxembourgeois(e)	luxembourgeois(e)
les Pays Bas (m)	Netherlands	le néerlandais	un(e) Néerlandais(e)	néerlandais(e)
le Portugal	Portugal	le portugais	un(e) Portugais(e)	portugais(e)
la Suède	Sweden	le suédois	un(e) Suédois(e)	suédois(e)

Other countries

les Antilles (f) .... West Indies
le Canada...................... Canada
les Etats-Unis (m) .... America
l'Inde (f)...................... India
le Japon .... Japan
le Royaume-Uni .... UK
la Russie .... Russia
la Suisse .... Switzerland

Regions and towns

la Bretagne .... Brittany
la Bourgogne .... Burgundy
les Cornouailles (f)....... Cornwall
le Côte d'Azur.............. French Riviera
les îles anglo-normandes.. Channel Islands
le Midi .... South of France
la Normandie .... Normandy
Bruxelles....................... Brussels
Cantorbéry.................... Canterbury
Douvres .... Dover
Edimbourg.................... Edinburgh
Genève.......................... Geneva
Londres......................... London

Seas and rivers

la Manche .... English Channel
le Pas de Calais............. Straits of Dover
la Mer d'Irlande............ Irish Sea
la Mer du Nord .... North Sea
la Méditerranée............. Mediterranean Sea
la Tamise .... Thames

ESSENTIAL VOCABULARY

Opinions

Quel est votre/ton avis?	What is your opinion?
J'aime	I like
Je n'aime pas	I don't like
J'adore	I love
Je déteste	I hate
J'ai horreur de …	I hate …
Je ne supporte pas …	I can't stand …
Je préfère	I prefer
J'aime mieux	I prefer
Je suppose que oui	I suppose so
Je suis de votre/ton avis	I share your opinion
Je suis tout à fait d'accord	I quite agree
Vous avez/Tu as raison	You are right
Moi, je pense que …	I think that ...
Je crois que oui	I think so
Je dois admettre que …	I must admit that …
Je ne sais pas	I don't know
C'est possible	It's possible
Cela dépend	That depends
On dit que …	They say that …
Bien sûr	Certainly
La plupart des gens sont d'accord	Most people agree
Tout le monde est d'accord	Everyone is agreed
au contraire	on the contrary
Je ne crois pas	I don't think so
Vous avez/Tu as tort	You are wrong
Je ne suis pas d'accord	I don't agree
A mon avis, c'est la faute de …	I blame …

Justifications

Je l'aime	**I like it**
C'est amusant	It's amusing
C'est délicieux	It's delicious
C'est facile	It's easy
C'est intéressant	It's interesting
C'est passionnant	It's fascinating
C'est superbe	It's wonderful
C'est utile	It's useful
Il est sympa	He's nice

76

Elle est gentille..She's nice

Ça m'intéresse...It interests me
Ça me passionne ....It fascinates me
Ça me divertit..It amuses me
Ça me fait rire ....It makes me laugh
Ça vaut la peine...It's worth it

Je ne l'aime pas   **I don't like it**
C'est compliqué ....It's complicated
C'est dégoûtant ....It's disgusting
C'est difficile ....It's difficult
C'est embêtant/énervant ....It's annoying
C'est ennuyeux ....It's boring
C'est horrible ....It's horrible
C'est incroyable ....It's unbelievable
C'est infect..It's absolutely disgusting
C'est pénible ....It's awful

C'est trop cher..It's too expensive
C'est trop compliqué.....................................It's too complicated
C'est trop difficile...It's too difficult
C'est trop loin ....It's too far away
C'est trop long/court ....It's too long/short
C'est une perte de temps...............................It's a waste of time
Ce n'est pas pratique.....................................It's not practical
Ce n'est pas possible.....................................It's not possible

Ça m'agace ....It irritates me
Ça m'embête ....It annoys me
Ça m'énerve...It gets on my nerves
Ça m'ennuie...It bores me
Ça me fatigue ....It makes me tired
Ça ne me va pas ....It doesn't suit me
Je n'ai pas d'argent ....I have no money
Je n'ai pas le temps ....I have no time
J'en ai marre..I'm fed up with it

Excuses

Excusez-moi...I'm sorry
Quel dommage...What a pity
Je ne l'ai pas fait exprès................................I didn't do it on purpose

Je suis désolé.. I am very sorry

Neutral comments

De rien... Don't mention it
Il n'y a pas de mal .... There's no harm done
Il n'y a pas de quoi .... Don't mention it
Ça m'est égal.. I'm not bothered
Ça ne fait rien.. It doesn't matter
Ça ne me dit rien .... I don't feel like it
Je vous en prie... Don't mention it
Ne vous en faites pas.................................... Don't worry
N'en parlons plus .... Let's forget it
Sans doute .... Without doubt
Je n'ai pas la moindre idée........................... I have the faintest idea

Questions

Combien (de)...?...........How (many)...?
Comment est...?............What is ... like?
Comment? ....How?
D'où?............................Where from?
Où?..............................Where?
Peut-on...? ....Can we...?
Pourquoi? ....Why?
Puis-je...?......................May I...? Can I...?

Quand? ....When?
Quel, Quels? (m) ....Which?
Quelle, Quelles? (f) ......Which?
Qu'est-ce que?..............What?
Qu'est-ce qui? ....What?
Qui? ....Who?
Quoi?............................What?

A quelle heure? .... At what time?
Ça coûte combien? .... How much does it cost?
C'est quel jour? .... Which day is that?
Combien de temps?....................................... How long?
Comment dit-on en français? .... How do you say it in French?
Comment t'appelles-tu? .... What's your name?
De quelle couleur? .... What colour?
De quelle direction? .... From which direction?
Est-ce que je pourrais ...? .... Could I ...?
Quelle est la date? .... What's the date?
Quelle heure est-il? .... What time is it?
Tous les combien?.. How often?

Prepositions

à	to
après	after
avant	before
avec	with
chez	at (the house of)
dans	in
de	of
depuis	since
derrière	behind
devant	in front of
en	in
en face de	opposite
entre	between
jusqu' à	as far as, till
par	by
pendant	during
pour	for
près de	near
sans	without
sous	under
sur	on
vers	towards

à part	beside, apart from
à travers	through
au bout de	at the end of
au dessous de	under
au dessus de	above
au fond de	at the bottom of
au milieu de	in the middle of
contre	against
dès	from
hors (de)	out of, outside
le long de	along
malgré	in spite of
par-dessus	over
parmi	among
à peu près	about
quant à	as for
sauf	except
selon	according to

Conjunctions

car	because
comme	as
donc	so, therefore
et	and
mais	but
ou	or
parce que	because
pendant que	while
quand	when
si	if

alors que	just as, while
dès que	as soon as
lorsque	when
or	now
puisque	since
tandis que	while

Colours

blanc, blanche	white
bleu	blue
bleu clair *inv*	light blue
bleu foncé *inv*	dark blue
bleu marine *inv*	navy blue
brun	brown
gris	grey
jaune	yellow
mauve	mauve
noir	black
orange	orange
pourpre	crimson, purple
rose	pink
rouge	red
sombre	dark
vert	green
violet, violette	purple

Adjectives

beau	handsome, fine
bon	good
chaud	hot, warm
cher	dear, expensive
content	pleased, happy
dernier	the last, the latest
difficile	difficult
ennuyeux	boring
excellent	excellent
facile	easy
faux	wrong, false
fermé	closed
froid	cold
gentil	kind
grand	big, great, tall
gros	big, fat
important	important
intelligent	intelligent
intéressant	interesting
mauvais	bad
moche	rotten, ugly, lousy
moderne	modern
normal	normal
nouveau	new
ouvert	open
petit	little, small, young
préféré	preferred
probable	probable
terrible	terrible
sympa(thique)	nice
vieux	old
vrai	true

agréable	pleasant
amusant	amusing
calme	calm, quiet
chouette (slang)	great
désagréable	unpleasant
fatigué	tired
formidable	great, terrific
fort	strong

heureux	happy
impossible	impossible
jeune	young
malheureux	unhappy, unfortunate
nécessaire	necessary
pittoresque	picturesque
possible	possible
prochain	next
sage	well-behaved, wise
spécial	special

affreux	awful, ugly
ancien	old, ex-
barbant (slang)	boring
bas	low
bruyant	noisy
court	short
doux	mild, sweet, gentle
énorme	enormous
évident	obvious
faible	weak
frais	cool, fresh
général	general
génial	fantastic, great
inquiet	anxious
joli	pretty
juste	exact, fair, tight
laid	ugly
leger	light
long	long
magnifique	wonderful
méchant	naughty, spiteful
neuf	new, brand new
paresseux	lazy
propre	clean, own
rond	round
sale	dirty
sérieux	serious
timide	shy
tranquille	peaceful, calm
triste	sad
vif	lively, keen

Adverbs

Common adverbs

alors	then
assez	enough, fairly, rather
aussi	also, as well, too
beaucoup	a lot
bien	well
bientôt	soon
d'abord	first, first of all
de bonne heure	early
déjà	already
en général	usually
encore	again, still
enfin	at last, finally
finalement	finally
heureusement	fortunately
maintenant	now
malheureusement	unfortunately
normalement	usually, normally
par exemple	for example
pas du tout	not at all
peut-être	perhaps, maybe
plutôt	rather
puis	then, next
quelquefois	sometimes
toujours	always, still
tous les jours	every day
tout de suite	at once
très	very
trop	too
vite	quickly, fast
vraiment	really

Adverbs of place

dehors	outside
ici	here
là	there
là-bas	over there
là-haut	up there, upstairs
partout	everywhere

Adverbs of manner

à la hâte	in a hurry
à toute vitesse	at top speed
aussitôt	straight away
brièvement	briefly
lentement	slowly
rapidement	quickly
soudain	suddenly
tout à coup	suddenly

Adverbs of time

actuellement	at the moment, currently
autrefois	in the past
continuellement	continually
de nouveau	again
de temps en temps	from time to time
d'habitude	usually
en ce moment	now
en même temps	at the same time
en retard	late
encore une fois	one more time
ensuite	afterwards, next, then
immédiatement	immediately
le lundi	on Mondays
longtemps	for a long time
parfois	sometimes
recémment	recently
tard	late
tôt	early

Adverbs of degree

à peine	hardly, scarcely
absolument	absolutely
au moins	at least
complètement	completely
également	equally, evenly
énormément	tremendously
environ	about
exactement	exactly, precisely
extrêmement	extremely
peu	little, not much
précisément	exactly, clearly

presque	almost, nearly
probablement	probably
rarement	rarely
seulement	only
spécialement	specially
suffisamment	sufficiently
surtout	above all, especially
tout à fait	quite, completely
vers	towards, about

Other adverbs

affectueusement	with best wishes
ainsi	thus
amicalement	with best wishes
autrement	differently, otherwise
bien entendu	of course
cependant	however
correctement	correctly
couramment	fluently
d'ailleurs	moreover
donc	so, therefore
doucement	gently
effectivement	actually, really
en vain	in vain
ensemble	together
évidemment	of course, obviously
franchement	frankly
obligatoirement	compulsorily
par contre	on the other hand
par hasard	by chance, accidentally
poliment	politely
pourtant	yet, however
silencieusement	silently
soigneusement	carefully
tout de même	all the same
volontiers	gladly

Verbs

Essential verbs

aimer	to like
arriver*	to arrive, happen
demander	to ask (for)
écouter	to listen (to)
entrer*	to go in, into
jouer	to play
parler	to speak, talk
travailler	to work
acheter †	to buy
commencer †	to begin
manger †	to eat
aller* *irreg*	to go
avoir *irreg*	to have
boire *irreg*	to drink
être *irreg*	to be
faire *irreg*	to do, make
mettre *irreg*	to put, put on
sortir* *irreg*	to come out, go out
venir* *irreg*	to come
voir *irreg*	to see

Very important verbs

chercher	to look for
commander	to order
se coucher*	to go to bed
coûter	to cost
décider	to decide (to)
déjeuner	to have lunch
descendre*	to come/go down
détester	to hate
donner	to give
finir	to finish
habiter	to live
s'intéresser* à	to be interested
se laver*	to get washed
monter*	to climb, get into
porter	to wear, carry
regarder	to look at

rester*	to stay
visiter	to visit (place)
s'appeler* †	to be called
espérer †	to hope
se lever* †	to get up
payer †	to pay (for)
préférer †	to prefer
se promener* †	to go for a walk
devoir *irreg*	to have to, must
dire *irreg*	to say, tell
écrire *irreg*	to write
lire *irreg*	to read
partir* *irreg*	to leave, set off
pouvoir *irreg*	can, may, be able to
vouloir *irreg*	to want (to)

Important verbs

aider	to help
s'amuser*	to have a good time
danser	to dance
désirer	to want
durer	to last
entendre	to hear
fermer	to close, shut
gagner	to earn, win
inviter	to invite
montrer	to show
oublier	to forget
penser	to think
perdre	to lose, waste
poser	to put (down)
quitter	to leave
rentrer*	to come back
répondre	to reply, answer
réserver	to reserve
se trouver*	to be situated
vendre	to sell
voler	to fly, steal

changer †	to change
envoyer †	to send
essayer †	to try (on)
nager †	to swim
dormir *irreg*	to sleep
ouvrir *irreg*	to open, switch on
prendre *irreg*	to take, catch, have
savoir *irreg*	to know

Useful verbs

s'arrêter*	to stop (o.s)
attendre	to wait (for)
se baigner*	to bathe, swim
chanter	to sing
choisir	to choose
compter	to count
déclarer	to declare
fumer	to smoke
laver	to wash
louer	to hire, rent
marcher	to work, walk
pleurer	to weep, cry
pousser	to push
raconter	to tell (story)
refuser	to refuse
remplir	to fill, fill in
rencontrer	to meet, bump into
réparer	to repair
retourner*	to return, go back
rouler	to drive, go (by car)
tomber*	to fall
tourner	to turn
traverser	to cross (road, water)
trouver	to find
jeter †	to throw
nettoyer †	to clean
voyager †	to travel
apprendre *irreg*	to learn
offrir *irreg*	to give, offer
tenir *irreg*	to hold

Les nombres cardinaux   Cardinal numbers

0	zéro	20	vingt	80	quatre-vingts
1	un, une	21	vingt et un	81	quatre-vingt-un
2	deux	22	vingt-deux	82	quatre-vingt-deux
3	trois	23	vingt-trois	90	quatre-vingt-dix
4	quatre	24	vingt-quatre	91	quatre-vingt-onze
5	cinq	25	vingt-cinq	92	quatre-vingt-douze
6	six	26	vingt-six	100	cent
7	sept	27	vingt-sept	101	cent un
8	huit	28	vingt-huit	105	cent cinq
9	neuf	29	vingt-neuf	110	cent dix
10	dix	30	trente	150	cent cinquante
11	onze	31	trente et un	300	trois cents
12	douze	40	quarante	308	trois cent huit
13	treize	41	quarante et un	400	quatre cents
14	quatorze	50	cinquante	406	quatre cent six
15	quinze	60	soixante	1000	mille
16	seize	70	soixante-dix	2003	deux mille trois
17	dix-sept	71	soixante et onze	5000	cinq mille
18	dix-huit	72	soixante-douze	1.000.000	un million
19	dix-neuf	79	soixante-dix-neuf	1.000.000.000	un milliard

Remember that

vingt et un, trente et un, quarante et un, cinquante et un, soixante et un, soixante et onze **are not** hyphenated, but quatre-vingt-un and quatre-vingt-onze **are** hyphenated.

La date   The date

C'est aujourd'hui le premier septembre........ Today is September 1st
C'est aujourd'hui le deux janvier.................. Today is January 2nd
C'est aujourd'hui le huit mars....................... Today is March 8th
C'est aujourd'hui le onze avril...................... Today is April 11th
C'est aujourd'hui le dix-neuf mai .... Today is May 19th
C'est aujourd'hui le quatorze juillet.............. Today is July 14th
Mon anniversaire est le dix novembre .... My birthday is November 10th
Je suis né(e) en dix-neuf cent quatre-vingt-huit.. I was born in 1988

Les nombres ordinaux

premier, première .... first
deuxième .... second
troisième .... third
quatrième .... fourth
cinquième .... fifth
sixième .... sixth
septième .... seventh
huitième .... eighth
neuvième .... ninth
dixième .... tenth
onzième .... eleventh

Ordinal numbers

douzième .... twelfth
treizième .... thirteenth
quatorzième .... fourteenth
quinzième .... fifteenth
seizième .... sixteenth
dix-septième .... seventeenth
dix-huitième .... eighteenth
dix-neuvième .... ninteenth
vingtième .... twentieth
vingt et unième .... twenty-first
vingt-deuxième .... twenty-second

Quelle heure est-il?

Il est une heure .... It is one o'clock
Il est deux heures .... It is two o'clock
Il est trois heures cinq .... It is five past three
Il est quatre heures dix .... It is ten past four
Il est cinq heures et quart .... It is quarter past five
Il est six heures vingt .... It is twenty past six
Il est sept heures vingt-cinq .... It is twenty five past seven
Il est huit heures et demie .... It is half past eight
Il est deux heures moins vingt-cinq .... It is twenty five to two
Il est trois heures moins vingt .... It is twenty to three
Il est quatre heures moins le quart .... It is quarter to four
Il est cinq heures moins dix .... It is ten to five
Il est six heures moins cinq .... It is five to six

Il est midi .... It is midday, noon
Il est midi cinq .... It is five past twelve (midday)
Il est midi et quart .... It is quarter past twelve
Il est midi moins le quart .... It is quarter to twelve
Il est minuit .... It is midnight
Il est minuit dix .... It is ten past twelve (night)
Il est minuit et demi .... It is half past twelve (night)
Il est minuit moins dix .... It is ten to twelve (night)

Il est vingt heures (20h) 20:00
Il est vingt-deux heures quinze (22h15) 22:15
Il est dix-huit heures trente (18h30) 18:30
Il est treize heures quarante-cinq (13h45) 13:45

Telling the time

Cela dure: It lasts:

un quart d'heure ....a quarter of an hour
une demi-heure.............half an hour
trois quarts d'heure.......¾ of an hour
une heure ....an hour
une heure et quart.........an hour and a quarter
une heure et demie ....an hour and a half

Matin, midi et soir
Parts of the day

le jour ....day
la nuit............................night
le matin.........................morning
l'après-midi (m) ....afternoon
le soir............................evening
tous les jours................every day

Les jours de la semaine
Days of the week

lundi ....Monday
mardi ....Tuesday
mercredi ....Wednesday
jeudi.............................Thursday
vendredi.......................Friday

samedi ....Saturday
dimanche......................Sunday

Les mois de l'année
Months of the year

janvier ....January
février...........................February
mars ....March
avril..............................April
mai ....May
juin...............................June
juillet............................July
août ....August
septembre.....................September
octobre ....October
novembre ....November
décembre......................December

Les saisons Seasons

l'hiver (m)....................winter
le printemps ....spring
l'été (m) ....summer
l'automne (m) ....autumn

ABBREVIATIONS

BD (bande dessinée) .... cartoon, comic strip
BEPC (brevet d'études du premier cycle) .... certificate for 15 year olds
CES (collège d'enseignement secondaire) .... comprehensive school
CET (collège d'enseignement technique) .... technical school
DOM (département d'outre mer) .... French overseas department
EPS (éducation physique et sportive) .... PE
FR2 (France 2) .... Channel 2 on French television
FR3 (France 3) .... Channel 3 on French television
HLM (habitation à loyer modéré) .... subsidised housing - usually flats
M (Monsieur) .... Mr
Mme (Madame) .... Mrs, Ms
Mlle (Mademoiselle) .... Miss, Ms
MJC (maison des jeunes et de la culture) .... Youth Centre
MLF (Mouvement de la libération des femmes) .... Women's Lib
OMS (Organisation mondiale de la santé) .... World Health Organisation
ONU (Organisation des Nations Unies) .... United Nations Organisation
OTAN (Organisation du Traité de l'Atlantique Nord) .... NATO
P et T (Postes et Télécommunications) .... Post Office
PDG (président directeur général) .... Managing Director
PJ (police judiciaire) .... CID
PV (procès-verbal) .... fixed penalty fine
RATP (Régie autonome des transports parisiens) .... Paris public transport system
RER (réseau express régional) .... Paris suburban railway system
SA (société anonyme) .... Ltd
SAMU (service d'assistance médical d'urgence) .... mobile medical assistance unit
SDF (sans domicile fixe) .... of no fixed abode
SIDA (Syndrome Immuno-Déficitaire Acquis) .... Aids
SMIC (salaire minimum interprofessional de croissance) .. index-linked minimum wage
SNCF (Societé nationale des chemins de fer français) .... French Railways
SPA (Societé protectrice des animaux) .... Animal protection society
SVP (s'il vous plaît) .... please
TOM (territoires d'outre mer) .... French overseas territories
TGV (train à grande vitesse) .... high speed train
TVA (taxe sur la valeur ajoutée) .... VAT
TTC (toutes taxes comprises) .... inclusive of tax
UE (l'union européenne) .... EU (European Union)
UHT (ultra haute température) .... UHT (milk)
ULM (ultra-léger-motorisé) .... micro-light aircraft
en VO (version originale) .... with the original soundtrack
VIH (virus d'immunodéficience humaine) .... HIV

La France

Dunkerque.
Boulogne • • Calais
• Lille

Dieppe • Amiens
Cherbourg •
Le Havre • • Rouen
La Seine
Reims •
PARIS
Nancy • Strasbourg •
Brest • St Malo
Le Rhin
• Rennes
• Le Mans • Orléans
La Loire
Tours
Nantes
• Dijon

Saône

• Poitiers
La Rochelle •
• Limoges • Clermont-Ferrand • Lyon

• Grenoble
LE MASSIF CENTRAL
Le Rhône
Bordeaux
LES ALPES
La Garonne
Avignon •
Nice •
Biarritz • Toulouse Montpellier
Marseille •
• Toulon
Lourdes •
LES PYRENEES